CÂNCER TEM CURA!

Dados Internacionais de Catalogação na Publicação
(CIP)(Câmara Brasileira do Livro, SP, Brasil)

Zago, Romano

Câncer tem cura!: manual que ensina, de maneira prática e econômica, a tratar, sem sair de casa, do câncer e de outras doenças, sem mutilações, sem aplicações nem remédios, sem efeitos colaterais / Romano Zago. 44. ed. – Petrópolis, RJ : Vozes, 2015.

8ª reimpressão, 2025.

ISBN 978-85-326-1867-2
1. Babosa 2. Câncer – Tratamento alternativo

3. Medicina alternativa 4. Plantas medicinais I. Título.

97-4006   CDD-615.53

Índices para catálogo sistemático:
1. Câncer : Cura : Terapias alternativas
615.53

Frei Romano Zago, OFM

CÂNCER TEM CURA!

Manual que ensina, de maneira prática e econômica, a tratar, sem sair de casa, do câncer e de outras doenças, sem mutilações, sem aplicações nem remédios, sem efeitos colaterais

Petrópolis

© 1997, Editora Vozes Ltda.
Rua Frei Luís, 100
25689-900 Petrópolis, RJ
www.vozes.com.br
Brasil

Todos os direitos reservados. Nenhuma parte desta obra poderá ser reproduzida ou transmitida por qualquer forma e/ou quaisquer meios (eletrônico ou mecânico, incluindo fotocópia e gravação) ou arquivada em qualquersistema ou banco de dados sem permissão escrita da editora.

Nota: A 1ª edição desta obra foi publicada sob a responsabilidade do autor.

Capa: Planta de babosa existente no jardim do Santuário da Agonia de Jesus (Horto das Oliveiras), no Getsêmani, Jerusalém, Israel.

CONSELHO EDITORIAL	PRODUÇÃO EDITORIAL
Diretor	Anna Catharina Miranda
Volney J. Berkenbrock	Eric Parrot
	Jailson Scota
Editores	Marcelo Telles
Aline dos Santos Carneiro	Mirela de Oliveira
Edrian Josué Pasini	Natália França
Marilac Loraine Oleniki	Priscilla A.F. Alves
Welder Lancieri Marchini	Rafael de Oliveira
	Samuel Rezende
Conselheiros	Verônica M. Guedes
Elói Dionísio Piva	
Francisco Morás	
Teobaldo Heidemann	
Thiago Alexandre Hayakawa	

Secretário executivo
Leonardo A.R.T. dos Santos

ISBN 978-85-326-1867-2

Este livro foi composto e impresso pela Editora Vozes Ltda.

SUMÁRIO

Introdução, 7

1 Do aprendizado, 13

2 Da aplicação do aprendizado, 20

3 A fórmula, 29

4 A fórmula definitiva, 35

5 Posologia (como tomar), 45

6 Perguntas e respostas, 49

7 Internacionalização da fórmula, 104

8 Composição da babosa, 127

9 A babosa é tóxica?, 149

10 Babosa x Aids, 170

11 Sob os auspícios de Nossa Senhora, 180

12 Conversando com a folha da babosa, 191

   Receita de babosa contra o câncer, 195

Conclusão, 197

   Ficha médica pessoal, 203

INTRODUÇÃO

Muitas pessoas, que tinham tomado conhecimento de curas de câncer, efetuadas com o método que pretendemos expor neste livro, perguntavam se não haveria meio de divulgar o "segredo". A forma proposta foi o presente trabalho que, benevolamente, submetemos à sua leitura.

Honestamente, não temos a pretensão de arvorar-nos em criador ou inventor do método. Muito menos apresentar-nos como o pioneiro, isto é, o primeiro que aplicou a fórmula com êxito em diferentes casos, sendo, só depois, seguido por outras pessoas, com igual êxito. Aliás, nem seria segundo a verdade. Apenas recolheu-se a receita dos inventores ou pioneiros. Porque pareceu útil e prática, partiu-se para sua divulgação. Outros, muito antes de nós, poderiam, com justiça, arrogar-se tal direito.

O presente livro pretende ser nada mais do que o veículo de divulgação de determinado método que foi bem-sucedido em ocasiões diversas. Se existe algum mérito, não passa daquele de tê-lo divulgado. O que vai nestas despretensiosas páginas é tão somente testemunhar uma prática que tem dado certo inúmeras vezes, prática aplicada pessoalmente, bem como realizada por outras pessoas, as quais, tendo tomado conhecimento da receita, usaram-na com inteiro sucesso. De posse das orientações, aplique-as também no seu caso concreto. Tudo muito simples, acessível. Ponha o método em prática.

Tratando-se de uma fórmula tão barata e não apresentando contraindicações nem efeitos colaterais negativos, não temos em mira outra meta que a de aliviar o sofrimento dos doentes, bem como das pessoas direta ou indiretamente relacionadas com eles, às vezes, impotentes diante do soberbo problema. Se houve pessoas curadas através desta maneira simples e econômica, por que não proporcionar algo idêntico a mais gente? Eis o nosso único escopo.

Não é pretensão nossa apresentar método mágico. Mais. Não queremos reter, ciosa e egoisticamente, o método em segredo e explorá-lo em proveito próprio.

A ideia é informar a população de que existe uma fórmula que pode curar o câncer – porque já o realizou –, método este ao alcance de todos. Que a pessoa interessada tome conhecimento. O livro explica a maneira de pôr em prática tal possibilidade, se você quiser.

Outrossim, não temos em vista humilhar a benemérita classe médica ou, pior ainda, declarar inválido tudo quanto a ciência busca para solucionar o problema do câncer, o assim chamado "mal do século". Tudo quanto se procura, na corrida pela vitória sobre o mal, é digno dos maiores encômios, venha donde vier. Tudo quanto se fez e se fará corretamente em busca da solução definitiva do problema continua válido e merece todo o nosso apoio e apreço. Fazemos votos para que as pesquisas se aprofundem tanto que logrem o domínio total e absoluto do homem sobre este mal que tem angustiado a humanidade. Demo-nos as mãos nesta guerra comum que a todos aflige e a todos deve envolver.

Gostaríamos de emprestar nossa modesta colaboração para levar lenitivo ao sofrimento atroz do homem, tão humilhado diante da fatalidade de intervenções cirúrgicas e aplicações deformadoras, mas saída única, no atual estágio da medicina tradicional. Gostaríamos de ajudar a poupar do massacre que representam, para o portador de câncer, as aplicações de radioterapia, quimioterapia (verdadeiro bombardeamento para o organismo!) e outras do gênero. O sistema aqui apresentado é infinitamente mais barato. Indolor. Natural. Qualquer um pode aplicá-lo, ficando em casa. E os resultados têm sido tais que as pessoas curadas, ainda que portadoras de câncer em fase terminal, dentro de dois a três meses, reassumiram sua vida de sempre, até diria, com maior vigor, com melhor qualidade de vida, talvez porque voltassem a experimentar de novo o sabor de viver, quando tudo lhes parecia irremediavelmente perdido. Gostaríamos que esta fórmula se aliasse a todas as demais tentativas conhecidas ou que porventura vierem a ser descobertas, numa frente única, para erradicar, para sempre, o malfadado mal da face da terra.

O presente livro, pois, na sua simplicidade e clareza meridianas, pretende constituir-se num aceno para quem se defronta com o terrível problema do câncer e de outras doenças degenerativas.

Amigo(a), se uma pessoa querida sua estiver tomada daquela "doença feia", além dos tratamentos convencionais a que recorreu, ofereça-lhe também este método fácil de tratar-se. Pode dar certo. Tem dado certo. Inúmeras vezes curou de verdade, salvando vidas. Ah! Se falassem as estatísticas das curas realizadas nos cinco continentes! Não custa arriscar. Não se perde nada. E pode salvar-se uma vida.

Desejo, leitor(a), que, seguindo o presente método, simples e barato, inteiramente natural, sem contraindicações, devolva a saúde a seu ente querido e que este volte a viver a vida com gana, com redobrada alegria, porque teve afastado de cima de si o espectro de morte iminente, morte que parecia inevitável. Você, por sua vez, experimentará a euforia indizível de ter vencido aquilo que parecia superior às suas forças. Será como se estivesse transmitindo a vida de novo à pessoa curada. Você a trouxe de novo ao convívio dos viventes. E você cantará consigo mesmo: "Bendito seja Deus que pôs à disposição dos homens tantas ervas e plantas como remédio para suas doenças, a fim de que a vida continue, e continue com saúde"!...

O autor

1 DO APRENDIZADO

Após a jornada de trabalho, mergulhados num verdadeiro calidoscópio de atividades, respondendo à policromia de setores que as exigências da vida moderna os envolve, um a um, os Frades Menores regressam de sua faina, a fim de jantar, recobrando as energias para um novo amanhã.

Adaptado ao costume da região, filho da terra, o franciscano do Rio Grande do Sul, igual a inúmeros cidadãos, descansa, após a ducha reconfortadora, sorvendo chimarrão. Enquanto a cuia do mate amargo roda de mão em mão, segundo a tradição, a boa prosa se faz presente, vazando-se nos mais variados assuntos: Teologia, Filosofia, Política, Partidos, Governo, Sociologia, Pastoral, Igreja, Ordem, Província, Ecumenismo, Tempo, Fatos do dia, Corrupção, Aborto, Controle da Natalidade, Terceiro Mundo, Multinacionais, Futebol, etc., etc.

Um dia, como em tantos outros, repete-se o ritual. O assunto em voga: o progresso da ciência, seus feitos e conquistas que causam estupor. Dentro do filão condutor da conversa, o inacreditável, mas verdadeiro, pois se constatam, em nossos dias, enormes somas canalizadas no sentido de formar um lastro ou recursos para incentivar a descoberta da cura do câncer. Depois de considerações várias sobre o momentoso tema, surge Frei Arno Reckziegel, flamante provincial, recém-eleito, guindado ao cargo após atuar nas lides pastorais de periferia. Como que brandindo a varinha de condão, tira da manga a solução do problema, para estupefação dos atentos interlocutores:

— Mas... câncer tem cura, meus senhores! Sim, para o povinho das periferias, câncer não é problema. Ou seja, problema câncer o é, mas sabe-se resolvê-lo...

— Como assim?, interpela o mais interessado do grupo.

— Nós, lá em Rio Grande, na vila onde trabalhei por alguns anos, cansamos de ver pessoas simples, portadoras de câncer, logo aí adiante, estarem curadas. Poderia citar o caso de uma preta velha, com câncer de pele. Completado o tratamento, continua vivendo em seu barraco, até hoje, levando vida normal...

— Mas não é possível!... O caso dela era mesmo caso de câncer?

— Câncer declarado pelos exames médicos. Cito o caso de pessoa humilde, sem renome. Poderia citar, igualmente, a cura de pessoas famosas que se submeteram ao mesmo tratamento. Temos conhecimento de pessoas de nome nacional que, lançando mão do método que curara a preta velha da periferia da Cidade Marítima, obtiveram a cura de seu mal. O método cura preta-velha-sem-nome como cura gente famosa. Sem discriminação. Vale para todos. A natureza não usa preferências. Atende a todos e a cada um que dela quiser servir-se, sem discriminação.

– Vem cá, companheiro, mas que fórmula mágica é esta que até câncer cura? Conta logo aqui para nós, cara, de como a gente de periferia, lá da Noiva-do-Mar, pratica a cura de seus cânceres.

– Gostaria de frisar que não se trata de fórmula mágica coisa nenhuma! É muito simples. Muito mais simples do que se possa imaginar. Simples. Barata. Natural. Apenas que, infelizmente, ninguém ou muito pouca gente conhece e dá fé...

– Mas se é simples, barato e natural, "destampa" logo este método, que estou doidinho para conhecer. E tem mais. No primeiro dia que souber de pessoa portadora da doença, prometo que apelarei para a fórmula mágica. E mais: serei o maior divulgador dela, a fim de que ninguém mais venha a morrer do inexorável mal.

– Repito. É muito simples. Na vila, todo mundo conhece. Na vila, ninguém morre de câncer, porque a fórmula é transmitida, via oral, a quem interessar possa. Sobretudo, não se faz segredo. De câncer, na vila, só morre quem quer... Se ocorre a doença, todos conhecem a saída ou a solução. E apela para tal.

— Que beleza! Mas... desembucha logo esta fórmula bendita, homem de Deus! Já disse, estou louco para conhecê-la...

— Aí vai ela. Toma nota: meio quilo de mel de abelha, duas folhas de babosa e três ou quatro colheres de cachaça.

— Explica-te.

— Não tenho mais nada a explicar ou a acrescentar. É o que acabas de ouvir. Removem-se os espinhos dos lados da folha e alguma sujeira que a natureza aí poderia acumular. Tocam-se os três elementos — o mel, babosa e cachaça — no liquidificador. Batem-se bem, até se obter uma espécie de ligeiro creme. E... está pronta a poção que pode curar o câncer...

— Estás brincando! É simples demais para ser verdade!

— Pois, meu caro, é a coisa mais séria. Longe de mim brincar. E se achares que estou brincando ou caçoando, convido-te a visitar a nossa vila popular em Rio Grande. Lá poderás entrevistar a preta velha, gente fina, embora humilde, ela também curada pela citada fórmula.

— E como se toma aquele creme ou batida?

– Uma colher das de sopa, de manhã; outra, ao meio-dia, e uma terceira à noite. Sempre antes das refeições, assim uma questão de dez, vinte a trinta minutos. Agite bem o frasco, antes de servir-se de seu conteúdo. Guardar na geladeira (fundo).

– Vem cá, meu, mas se esta fórmula é tão eficiente ou milagrosa, por que não é divulgada? Devia ser anunciada pelo mundo todo! Devíamos contratar espaço nos meios de comunicação, nos programas de maior ibope e divulgar tal descoberta, a fim de que ninguém mais, sobre a face da terra, venha a morrer vítima da implacável doença.

– Realmente a fórmula é simples como o ovo de Colombo, mas é que há interesses outros em jogo, os quais impedem a divulgação desta "descoberta da pólvora". Além do mais, o câncer precisa continuar ceifando vidas. Tem mais. Curada a doença, perder-se-ia rica mina de fazer dinheiro. O câncer, como o anticoncepcional, é responsável para manter um pouco reduzido o número de pobres no mundo e, com isso, garantir fatia maior do bolo à mesa dos ricos. É que rico reúne condições para enfrentar longo e caro tratamento, sofisticado até. Pobre, como dispõe de recursos limitados, acometido de câncer, tem que morrer. É a política de quem manda no planeta.

O diálogo interrompeu-se por ali, já que o sinal convidava a comunidade para a récita de Vésperas, a oração da tarde. Um dos frades, porém, decorou a fórmula, e saiu em direção ao coro, obedecendo ao sinal, decidido a divulgá-la, dentro de suas limitações, custasse o que custasse.

Enquanto os frades, no coro, persolviam Vésperas, a oração oficial da Igreja, na cozinha do Provincialado Dona Paulina preparava o bife acebolado, malpassado, o qual, com arroz, produto da terra, vários tipos de salada e frutas, compunha a frugal janta do Frade Menor no Rio Grande do Sul. Ela, Paulina, no se afã, exercia sua liturgia típica, a qual, como a dos freis, devia evolar, em doces eflúvios, como pequenos salmos, até a presença do Senhor.

Se você não conhece babosa nem sabe que há enorme variedade de tipos (são de 300 a 400 já classificados, sem falar de centenas ainda não submetidos a estudos), duvidando, no momento da escolha da planta, repare na capa deste livro. Eis que encontra a resposta para sua dúvida.

O tipo de babosa que aí se observa é Aloe arborescens, da qual existem 20 variantes dada a facilidade com que se castiçam. Trata-se do tipo mais difuso entre nós. Quanto às propriedades medicinais, segundo o fitotécnico Dr. Aldo Facetti, que me entrevistou, durante uma hora de programação da Teleriviera, da RAI, que cobre toda a região toscana de Massa, Viareggio, Lucca, Pisa, Carrara, fruto de suas análises, garante que Aloe vera barbadensis miller, o tipo usado pelas indústrias, por ser mais rica em gel, apresenta uns 25% do princípio ativo contra o câncer, enquanto que a nossa (na capa do livro) arborescens o possui em 70%. Já o Instituto Palatini, de Salzano, Veneza, afirma que a arborescens é 200% mais rica em propriedades medicinais que a barbadensis.

A explicação é simples e uma só: as propriedades medicinais da planta encontram-se na folha toda e não apenas no gel, *como teima em insistir a indústria. Ora, o volume de casca na* arborescens *é muito maior do que na* barbadensis. *De mais a mais, a* arborescens, *pelo seu modo de ser, fica muito mais exposta aos raios solares (assemelha-se a um guarda-chuva aberto, ou palmeira), enquanto que a* barbadensis *lança suas folhas em sentido quase vertical, dificultando a penetração da luz solar.*

Se você quiser alcançar resultados melhores, lance mão da nossa babosinha comum. E vibre com seus efeitos.

2 DA APLICAÇÃO DO APRENDIZADO

Um belo dia, regressando da assistência a uma capela do interior, sou abordado pelo ferreiro da aldeia:

– Frei, meu tio João lá da Forqueta, sabe?, está com câncer na próstata e, de momento, internado no hospital de Marques de Sousa. Seu caso, afirma o médico, não tem volta. É questão de alguns dias, garante. Em nome da família, pediria que fosse administrar-lhe os sacramentos. Faça-o logo que puder, porque o caso dele é muito grave.

– Antes de mais nada, obrigado por ter-me avisado. Claro que irei levar o óleo dos enfermos àquele homem. Curioso! Lembro-me bem, parece-me ainda vê-lo participar da missa na sua capela, no mês passado, à esquerda, no primeiro banco. Admira-me que hoje me dá notícia de tal natureza!

– Pois é, Frei, o Sr. sabe que esta doença, quando se manifesta, quase sempre, já vai longe...

– Seu tio está consciente? O Sr. acha que posso deixar o atendimento para amanhã?

– Perfeitamente. Encontra-se muito fraco por causa da doença, mas resistirá até amanhã, fique tranquilo. Porém, os médicos dizem que não passa a semana. Acabo de chegar de lá agora. E concluí que a coisa está feia...

– Amanhã terei, pela escala, o atendimento, com missa, na capela de sua comunidade. Imediatamente depois da celebração para o povo, seguirei até o hospital, para levar-lhe o conforto dos sacramentos da Igreja. Pode ser assim?

– Ótimo! Desde já, muito obrigado. E vamos nos preparando para enterro próximo, necessariamente, não é?

– Só Deus sabe quando será...

– Certo. Mas o caso de meu tio é caso desesperador. Inútil qualquer outra tentativa. Seu caso não tem volta.

– Posso concordar que seja grave. Para Deus, porém, nada é impossível.

– Claro. Bem. Tchau. E obrigado.

No dia seguinte, após o atendimento na Capela de Navegantes, desloquei-me até o hospital. Dona Gema, a esposa do enfermo, denotando sinais de estafa e preocupação, diante da gravidade do mal do marido, aborda-me, à entrada do quarto:

— Padre, antes de mais nada, obrigada por ter atendido ao nosso aviso. Depois, peço que diga ao João que ele está com câncer. Gostaria que fizesse uma boa confissão, preparando-se adequadamente para a morte, já muito próxima. Estou lhe pedindo isto, Frei, porque quero que meu marido vá para o céu, depois da morte.

— Deixe comigo, senhora. A experiência, mesmo em casos sérios, ensinou-me a tratar do enfermo da maneira como convém. Procure manter-se calma.

No quarto, encontrei um doente em extrema fraqueza. Sua voz, um fio sumindo. Embora não houvesse me antecipado em abrir o jogo sobre sua realidade, advertiu-me que desejava confessar-se, sim, fazendo, inclusive, uma confissão geral, já que seria esta a última de sua vida. Frisou que desejava fosse bem-feita.

— Que ótimas disposições!, pensei comigo. Gratificante para o sacerdote encontrar penitente em tais condições! Dispensa motivações à penitência quando ela já existe. Dispensa argumentar, uma vez que o pecador mostra-se contrito. Beleza! Fácil! Menos mal!...

Atendi uma confissão de pessoa contrita onde, se havia consciência de pecado, de um lado, manifestava-se, de outro, confiança irrestrita na misericórdia de Deus. Seguiu-se a absolvição, a bênção apostólica, a unção dos enfermos, o viático. Numa palavra, recorreu-se ao que a Igreja dispõe de melhor, num caso extremo, como o do Sr. João Mariani.

Não julguei oportuno informar o paciente a respeito de seu delicadíssimo estado de saúde, conforme solicitara sua esposa, primeiro, porque houvera uma boa confissão, no meu entender. Em segundo lugar, eu não era o médico que atendera o doente acometido de câncer. E, em terceiro lugar, me viera à mente a fórmula do preparado que pode curar câncer, aquela mesma que ouvira, oralmente, naquela roda de chimarrão, no pátio do Provincialado. Repeti-a para refrescar a memória: meio quilo de mel de abelha, duas folhas de babosa e três ou quatro colheres de cachaça. Parecia soar fiel à fórmula original.

Na portaria do hospital, despedindo-me de minha paroquiana, que agradeceu o serviço religioso prestado a seu marido, achei de bom alvitre informá-la do que acabara de realizar:

— Dona Gema, seu marido ficou bem preparado. Aconteça o que acontecer, recebeu tudo o que se pode desejar num caso grave como o dele. Quanto a seu pedido sobre a realidade do estado de saúde dele, nem toquei no assunto. Achei que não fosse de minha alçada informá-lo sobre o diagnóstico médico, leigo que sou em matéria de medicina. De mais a mais, conheço um preparado que tem curado câncer...

— Mas, Frei, quem tem câncer, deve morrer! Pelo menos é o que se observa por aí. Creio que o Sr. quer ser gentil com a família numa hora tão difícil como a que estamos passando. Muito obrigada. Nós somos realistas. É preciso sê-lo, embora seja duro. Não adianta esconder.

Perdi tempo em explicar à Dona Gema que é possível curar-se de câncer.

Aliás, ela é igual a todas as pessoas com que me deparei diante do caso, a começar por mim mesmo. Com toda esta dinheirama que corre no mundo, como é que uma formulazinha tão ingênua, caseira, poderia efetuar o milagre?! A mulher ficou firme no seu ponto de vista e continuou convencida de que o seu marido morreria daquilo. E pronto. Destino atroz, mas inabalável como uma montanha!

Quando concluí que "daquele mato não sairia coelho", suspendi de vez a discussão. Achei melhor "matar a cobra e mostrar o pau", como diz o povo, isto é, decidi partir para a ação prática, deixando de lado teorias e palavras. Inútil gastar saliva. Era preciso descer à prática, ao rés do chão.

Por feliz coincidência, Rubens, o filho do casal, que voltara do Cartório do escrivão Agostinho Basso, a fim de ultimar a papelada para escapar do inventário do patrimônio, em caso de morte do pai, acaba de me pedir "carona" até a entrada de sua propriedade, no que prontamente concordei. Pensei com meus botões:

— Quem sabe consiga motivar e convencer o filho para aplicar a receita, já que não obtivera êxito com a mãe. No decurso da viagem, não fiz outra coisa senão convencer o rapaz que "estava a seu alcance, sim, evitar que seu pai viesse a morrer de câncer"! Para tanto, bastaria fazer o que lhe iria ensinar. E expliquei. E repeti. E voltei a explicar.

Chegando ao ponto do desembarque, fi-lo repetir a lição. Inteligente, sabia-a na ponta da língua. Mais. Garantiu-me que sua mana Rejane, que no dia seguinte haveria de render a mãe, já cansada, no hospital, levaria o preparado, prontinho, para o pai baixado. Satisfeito com as perspectivas de resultado, despedi-me do moço, desejando-lhe coragem, mas que aplicasse a receita.

Percorri o restante do caminho de volta à sede paroquial de consciência tranquila, esperançoso mesmo que, se fizessem tudo quanto havia-lhes ensinado, salvariam a vida daquele agricultor.

Retomei minhas atividades de pároco, sozinho, naquelas lonjuras. João Mariani, por conseguinte, deveria, como é natural, passar para um segundo plano na tela do interesse direto dos acontecimentos de rotina. Quando sua figura esguia me voltava à retina, porém, torcia para que a poção viesse a produzir seus efeitos.

A semana transcorria como todas as demais. Uma bela manhã, talvez uns oito dias após a unção do enfermo, encontro-me com Rejane, diante da Prefeitura Municipal.

Lembrei-me de seu pai doente. Imediatamente abordei-a, curioso por saber do andamento dos fatos. Queria detalhes.

— Bom-dia, Rejane. Como vais? Como está teu pai?

— Bom-dia. Eu estou bem, obrigada. Quanto ao papai está nas últimas. Os médicos mandaram que fosse morrer em casa...

— Ah! Quer dizer que vocês estão com ele em casa?

— Sim. Faz três dias que lhe deram alta, quer dizer, não têm mais recurso para ele... E a moça engoliu seco diante do peso da fatalidade, prostrada ante à impotência face ao mal.

— Mas vocês lhe serviram o remédio que receitei? Ele tomou o remédio direitinho?

— Sim, Frei. Foi feito como o Sr. mandou e ensinou ao Rubens. Eu mesma levei a poção até o hospital. Papai tomou-a na dose diária recomendada e continua tomando. Mas ele está tão fraquinho! Lá na cama, parece um pedaço de fio de arame farpado, desculpe a comparação. Que mal terrível! Esta maldita doença acabou com meu pai...

— Olha, se ele tomou o remédio, como me garantes, fica tranquila que vai dar certo. Brabo é quando as pessoas se negam a ingerir o remédio.

— Sabe, Frei, aconteceu algo estranho. O Sr. sabe que ele tinha aquela bola na altura do baixo ventre, não sabe?

— Não. Não sei.

— Sim. Uma bola do tamanho de bola de tênis.

— Pois não. E daí?

— Daí que esta bola desapareceu.

— Ah!, então só tenho que te cumprimentar, minha querida, pois teu pai encontra-se fora de perigo! Teu pai venceu a batalha contra o seu câncer! Não fosse assim, como é que aquela bola retrocederia? Pelo contrário, deveria ter aumentado mais e mais... Com outras palavras, o remédio produziu seus efeitos. Viva! Teu pai safou-se dessa, podes crer. Depois de umas semanas de convalescença, teu pai irá juntar-se à turma, como fizera em outros anos, para realizar a safra. Verás!

Na verdade, não deu outra. João Mariani, lentamente, voltou a se alimentar melhor. Em poucos dias, deixou o leito. Começou a andar pelo quarto. Esgueirando-se pela parede, conseguiu alcançar a cozinha. Sem demora, voltou ao pátio, em contato com seus bichos. Colheu as primeiras espigas de arroz-do-seco que amarelava, caminhando pelo eito. Comeu as primeiras cítricas da estação. Chupou cana-de-açúcar com a gana com que o fazia nos tempos de garoto.

Com o passar dos meses, além de ajudar na colheita daquele ano, na saída do outono-inverno, lavrou a terra a boi e arado, como fizera desde que se conhecera como gente, para as semeaduras da primavera.

E João Mariani vive hoje seus oitenta e mais anos (nascido em 1913), em pleno uso de suas faculdades [sic]. Trata-se de uma das muitas pessoas que venceram o câncer, ingerindo o preparado que anunciamos neste livro. Pode alguém duvidar, mas o fato de João Mariani estar vivo até hoje, apesar de ter sido portador de câncer, constitui-se em prova inequívoca da vitória deste complemento alimentar sobre o terrível mal.

Como João Mariani, existem inúmeras outras pessoas, homens e mulheres, que conseguiram dar a volta por cima, claro, cada qual com sua história, história que, *mutatis mutandis*, é a história do primeiro paciente cuja cura orientei e cujo êxito me fez acreditar na eficácia desta fórmula no combate ao câncer.

Plante um pé de babosa no fundo de seu quintal e, como resposta, você terá acesso a uma formidável farmácia que o bom Deus coloca à sua disposição.

Se você mora em apartamento, plante seu pé de babosa num vaso e exponha-o ao sol que entra pela janela. Você poderá gozar de todos os benefícios desta planta.

Não deprede a natureza! Se você cortou ou arrancou um galho para servir-se de suas folhas, plante, mesmo que seja dias depois de tê-lo colhido. Vinga fácil e você terá seu pé de babosa, verdadeira fortuna ao alcance da mão.

3 A FÓRMULA

1) Para quem conseguiu acompanhar-me até a esta altura, não precisaria repetir que aprendera a fórmula numa roda de chimarrão. De ouvido. Possível que não a tivesse gravado corretamente, sobretudo diante do impacto maior daquela bombástica revelação. "O câncer tem cura!" Sempre que se transmite mensagem oral, corre-se o risco de não ser bem captada, seja por deficiência de quem comunica, seja por limitações de quem recebe. Próprio das humanas imperfeições...

Seja como for, o certo é que iniciei ensinando a usar a fórmula aprendida, empregando duas folhas de babosa, meio quilo de mel de abelha e três colheres de cachaça. Durante muitos anos, ensinara a empregar tais ingredientes. Satisfaziam, sim, porque havia resultados, resultados positivos, semelhantes ao narrado no capítulo anterior. Portanto, não via motivo para modificar a fórmula que estava dando certo.

2) Lera, mais tarde, em *A farmácia da natureza*, de Irmã Maria Zatta, edição de 1988, à p. 14, a mesma receita

para a cura do câncer, porém apresentando variantes. Eis a receita transcrita tal qual se encontra no citado livro: "Colher de manhã cedo ou depois do sol posto *2 folhas* (o grifo é nosso) de babosa; lavá-las e cortar-lhes os espinhos. Picá-las e batê-las no liquidificador com *1 quilo de mel* (o grifo é nosso) e com *2 colheres de cachaça* (o grifo é nosso). Tomar 2 colheres 2 vezes por dia durante dez (10) dias. Depois parar durante 10 dias e assim continuar até ficar curado. *Para evitar o câncer*, a receita é a mesma, mas só tomar 2 colheres por dia durante 10 dias. Fazer isto uma vez por ano". A nova edição de *A farmácia da natureza*, 2. ed., 1993, p. 20, revisada e ampliada, modifica algum detalhe: "Colher, de manhã cedo, ou depois do sol posto, 2 folhas de babosa. Lavá-las e cortar-lhes os espinhos. Picá-las e batê-las no liquidificador, com um quilo de mel e 2 colheres de cachaça. Tomar 2 colheres, 2 vezes ao dia, durante 10 dias. Depois parar 10 dias e, assim, continuar até ficar curado. Não tomar em jejum. Para evitar câncer, a receita é a mesma, devendo-se tomar somente 2 colheres por dia, durante 10 dias. Fazer isto, uma vez por ano".

3) Quando vim a constituir a Equipe de Pastoral da Saúde da Paróquia de Santo Antônio, em Pouso Novo, no Rio Grande do Sul, Dona Gládis Lavarda, um dos componentes do grupo, dispunha dum polígrafo onde constava a fórmula da cura do câncer, por sua vez, também apresentando variantes e muito significativas, como se pode observar. Mais

tarde, soube que tal receita fora colhida do livro *Saúde através das plantas*, de Paulo César de Andrade dos Santos, Edições Mundo Jovem, p. 37 a 38. Diz o seguinte, sob "Receitas gerais", no vocábulo "câncer":

Ingredientes: 3 folhas grandes de babosa, 1/2 quilo de mel, 1 colher de cachaça.

Como preparar: para preparar o remédio do câncer é necessário que as regras abaixo sejam seguidas:

– o pé de babosa tem que ter pelo menos 5 anos de vida;

– apanhar a babosa no escuro;

– após cinco dias sem chuva;

– não colher com orvalho;

– preparar no escuro;

– preparar logo depois de colhida;

– depois de feito, guardar em vidro escuro na geladeira;

– tomar no escuro.

Obs.: *o* motivo de se evitar a luz (claridade) é que, na babosa, encontra-se uma substância que reage ao câncer e que, ao entrar em contato com a luz, perde automaticamente seu efeito.

– limpar a babosa com um pano seco;

– cortar e bater no liquidificador, juntamente com o mel e a cachaça.

Como tomar: para evitar o câncer, toda pessoa deveria tomar, pelo menos, uma vez por ano, uma colher de sopa, 3 vezes ao dia, durante 10 dias.

– para curar o câncer, tomar 2 colheres de sopa 3 vezes ao dia, durante 10 dias; parar 10 dias e tomar mais 10 dias, e assim sucessivamente, até se obter a cura total.

Obs.: a cura do câncer será obtida com êxito, quando ele estiver na fase inicial, pois, quanto mais velho, mais difícil será a cura.

4) Pela mesma época, caíra-me nas mãos o livro *Saúde pela alimentação*, de Frei Adelar Primo Rigo, com outras variantes sobre a receita, a dele, mais achegada à da Irmã Maria Zatta, como se pode comparar. Ei-la: "Mel, babosa e cachaça". Colher de manhã ou depois do sol posto 2 folhas de babosa. Lavá-las e cortar-lhes os espinhos. Picá-las e batê-las no liquidificador com um quilo de mel e com duas colheres (das de sopa) de cachaça.

Tomar: duas colheres das de sopa 2 vezes ao dia durante 10 dias. Depois parar 10 dias e assim continuar até ficar curado.

Para evitar o câncer a receita é a mesma, mas só tomar 2 colheres das de sopa durante 10 dias. Fazer isto uma vez por ano.

5) Em outubro de 1995, no atual Provincialado dos Frades Menores, na Av. Juca Batista, 330, Bairro Ipanema, Porto Alegre, RS, com imensa alegria, consegui uma fotocópia da fórmula original, a mesma que ouvira no fundo do velho Provincialado, à Rua São Luís, 640, Bairro Santana, Porto Alegre, RS. Tal fórmula correra de mão em mão, entre o povo simples, nas periferias de Rio Grande, o porto marítimo do Rio Grande do Sul, quando Frei Arno Reckziegel a registrou, por escrito, num papel de padaria. Pela ordem cronológica, trata-se da mais antiga. Como se pode observar, oferece suas variantes, como as demais. Ei-la:

Remédio/Câncer:

1) Duas folhas de babosa, as mais velhas possíveis (4-5 anos), apanhar fora do horário do sol (pela manhã ou à noite) – colher após o 6º dia da última chuva.

2) Tirar os espinhos, picar e levar ao liquidificador.

3) Juntar uma xícara de mel.

4) Uma colher de cachaça.

5) Guardar em geladeira.

Modo de usar: uma colher de sopa 3 vezes ao dia (de preferência antes das refeições), 10 dias seguidos, parar 10 dias e recomeçar.

> *Se você estiver tomando remédios receitados por seu médico, ou precisar submeter-se a radioterapia, quimioterapia ou similares, nada impede que, concomitantemente, siga o tratamento com a babosa.*

4 A FÓRMULA DEFINITIVA

Se a fórmula, que aprendera de ouvido, curara João Mariani e muitas outras pessoas, durante um período de, seguramente, cinco anos, juro que sentia-me apegado a ela. Jamais pensara em abandoná-la, por exemplo, em favor da fórmula indicada pela Irmã Maria Zatta, embora considere esta Religiosa do Imaculado Coração de Maria uma sumidade no "metier" e pessoa de larga experiência, verdadeiro computador ambulante em matéria de receitas. Igualmente, não me encorajava a adotar a fórmula contida naquele polígrafo trazido por Dona Gládis Lavarda.

Numa palavra, eu tinha uma experiência pessoal que dera certo em muitos casos. De que dados dispunha para mudar a fórmula ou adotar outra? Até prova em contrário, a que estava em uso satisfazia. Adotando uma segunda, em quais dados poderia basear-me, para confiar em sua eficácia ou negá-la? Deixar-me levar apenas pelo prurido da novidade? Experiência mesmo só tinha daquela fórmula que, habitualmente, eu usava e transmitia adiante, via oral.

Confesso, porém, que acabei mudando a primitiva fórmula, sim. E fi-lo por motivos práticos. Fundamentalmente, tudo se resume num único ponto, a saber: o remédio, preparado na fórmula seguida até então, ficava doce demais e causava certa repugnância, sobretudo às pessoas envolvidas com problemas de fígado. Como ir ao encontro do problema e dar-lhe solução?

Antes de mais nada, dei-me ao trabalho de comparar as diversas fórmulas entre si. Observei as variantes. Todas e cada uma apresentavam diferenças notáveis, algumas bem significativas. Não optaria por esta em detrimento daquela, sem bons fundamentos. Apelei para a experiência, que é a mestra da vida. Somente ela me haveria de ensinar, com segurança e objetividade, qual seria a fórmula ideal.

E por falar em vida, minha relutância em mudar de receita firmava-se, precisamente, na informação, errônea, de que a babosa é planta tóxica. Compreende-se que, se verdadeira, carregar um pouco mais na dose poderia ser fatal. Ora, a vida é, na realidade, o dom maior; por isso, mais sério. Positivamente, não se pode ser leviano com ela, brincando ou pondo-a em risco, sem justo motivo. Muito menos, ousaria fazer experiências em seres humanos.

Observando fatos novos, no dia a dia, é que criei coragem e renunciei à velha fórmula pela qual sentia tanto apego, porque sempre servira.

Posso afirmar que a mudança ou troca aconteceu por casualidade.

O primeiro fato que me empurrou a mudar foi a cura do secretário da Escola da Terra Santa, de Belém, Israel, portador que era de câncer na garganta. Soubera que, há meses, havia perdido a voz, não se comunicando senão por cochichos. Tomando conhecimento, através do então diretor do educandário, Pe. Frei Rafael Caputo, OFM, do real estado de saúde do profissional, ofereci meus préstimos na tentativa de fazê-lo recuperar a saúde e, com o tempo, quiçá, reassumir sua atividade de rotina no colégio.

Preparei o remédio, seguindo minha fórmula tradicional, isto é, duas folhas de babosa, meio quilo de mel e a bebida destilada.

Terminado o conteúdo do primeiro frasco, ingerido nuns quinze dias, seguiu-se o segundo, porém antecedido de exames médicos. A análise permitiu concluir que o preparado travara o progresso do mal, ou seja, os exames realizados antes de tomar babosa e os realizados após a dose de quinze dias, praticamente, apresentavam os mesmos valores. Entusiasmada pelo resultado positivo (o mal, ao menos, não se alastrara!), a filha Mary, esposa de médico, talvez no afã de livrar o pai daquele mal, preparou o próximo frasco, apelando para *três folhas de babosa*, bem graúdas, batendo-as no liquidificador em meio quilo de mel e a bebida destilada. Observando o espaço de uma semana de interrupção, aplicou a terceira dose. Resultado: o doente, depois de dois meses incompletos de duração do tratamento, emite os primeiros sons, sinal seguro que havia vencido a doença.

Para encerrar a história deste caso, a título de informação, saiba o leitor que a Escola voltou a servir-se de seu antigo secretário. No momento em que escrevo estas linhas, já se passaram quatro anos desde que ele reassumiu seu posto. E segundo testemunho de Irmã Verônica Mancadori (Scuola Materna, 53 - 09039 - Villacidro - Província de Cagliari, Itália - fone: (070) 932311), então professora no estabelecimento de ensino, que conhecera o paciente há mais de quinze anos, sua voz apresenta-se melhor do que nunca...

Uma segunda experiência que me estimulou a mudar a velha fórmula, tão querida, e com fundamento na experiência, foi a intervenção de Shucri, o motorista das Irmãs de Aída, Franciscanas do Imaculado Coração de Maria. Tomando conhecimento de pessoas que tinham sido curadas de câncer, através do remédio que receito, encorajou-se, venceu sua natural timidez, pedindo que lhe preparasse uma dose para seu cunhado, acometido de tumor na garganta, já com enorme ferida exposta no pescoço. Evidente que lhe estendi o frasco, desejando que salvasse a vida daquele seu ente querido.

Animado pelo efeito do primeiro tratamento (a ferida externa cicatrizara!), partiu para uma segunda remessa.

Por iniciativa sua, desta vez, ele mesmo quis preparar a poção. Triturou *quatro folhas de babosa*, sempre conservando a mesma quantidade de mel e bebida destilada.

Levado pela curiosidade de como teria preparado esta segunda dose, disse-me ter enfiado quatro folhas de babosa. Objetei-lhe:

— Mas eu tinha te orientado que deviam ser duas folhas...

— Eu sei.

— Por que então dobrou?... E depois, se tu me matas o sujeito, como é que fica?

— Qual o quê, Frei! Fique tranquilo! O cara recuperou a voz. Está conversando igual a antes. Quanto às folhas, como fossem um pouco miúdas e enxutas, coloquei quatro delas no liquidificador... para contrabalançar, porém, carreguei um pouco no araq (bebida destilada árabe)!

— Bem!, disse, condescendente, se o enfermo sarou, conclui-se que, se a planta for tóxica, não o é na quantidade que você empregou... Reconheça-se que exagerou na bebida e dobrou as folhas... Pode?

E foi a partir da experiência em cima de tais fatos que criei coragem para mudar a fórmula recebida de ouvido, e também observando as variantes de outras fórmulas que chegaram a meu conhecimento. Nas minhas andanças, em contato com outros povos e culturas, descobri que a babosa não deve ser tão tóxica, por exemplo, como é certo que é cáustico o avelós, planta igualmente usada no combate ao câncer. Soube que os mexicanos usam a babosa como salada. Na Venezuela, ingerem o gel da folha da babosa no café da manhã, adicionando algumas gotas de mel para suavizar o amargo. Assim sendo, parece que a decantada toxicidade da babosa não é tão alarmante. De qualquer maneira, sempre é válida a velha sabedoria: é na dose que se encontra o limite entre o remédio e o veneno. A prudência deve ser sempre a justa medida. Quanto a isso, o leitor pode tranquilizar-se. Voltaremos ao assunto exaustivamente, demonstrando que a babosa não é tóxica, como se grita por aí afora, de jeito nenhum! Se interessar, leia capítulo à parte sobre a matéria.

Depois de dez anos de experiência no Brasil, no Oriente, bem como na Europa (sobretudo Itália, Suíça, Portugal), ouso receitar a fórmula como segue, sem medo de errar:

Ingredientes:

1) Meio quilo de mel de abelha (cuidado com o mel artificial, refinado e as falsificações em geral!);

2) 40 a 50ml de bebida destilada (cachaça de alambique, uísque ou conhaque, etc.; não entram álcool puro, vinho, cerveja, licores); 40 a 50ml é uma dose de uísque, um "martelinho", uma xicrinha para cafezinho.

3) Duas ou três ou quatro folhas de babosa, segundo o comprimento delas (duas, se tiverem 50cm; três, se tiverem uns 35cm; quatro se tiverem uns 25cm) para completar, aproximadamente, um metro, se colocadas em fila indiana. Se você dobrar o comprimento, não se preocupe. Até diria que, se quiser, você pode usar maior quantidade de babosa do que de mel, se for do seu agrado. Certamente não terá prejuízo, já que é na babosa que se encontram as propriedades medicinais em maior volume.

A pessoa que for preparar sua poção em casa não precisa ser escrupulosa. Os três elementos devem chegar a uma quantidade aproximada daquilo que se receitou acima. Exagerar um tiquinho ou faltar num detalhe, certamente não porá em risco a eficiência do preparado. Portanto, evite apelar para medidas precisas, procurando a balança, o metro. Aprenda a preparar seu remédio, livremente, como se fosse preparar um canteiro para plantar flores ou hortaliças. Use o olho, à base do bom-senso, evitando exageros. O essencial é que tais elementos entrem na confecção da beberagem. É o amálgama dos elementos que redundará nos efeitos desejados.

Procedimento:

O conjunto dos três elementos vai para o liquidificador. Providencie a remoção do pó ou de uma outra sujei-

rinha que a natureza, eventualmente, poderá acumular sobre as folhas da babosa. Use trapo velho, seco ou úmido ou esponja, evitando lavar (uma vez que a água não interessa nesse preparado).

Com instrumento cortante, afiado, apare os espinhos das bordas das folhas, de leve, correndo a faca, num zás, de alto a baixo. Para ajudar a máquina, pique as folhas, como se usa preparar uma batida, digamos, de mamão.

Bater bem, triturando o material todo. Após, mais ou menos, um minuto (depende da rotação impressa ao aparelho), obtém-se uma espécie de creme esverdeado. Pronto. Sim! Está pronto o remédio que pode até curar câncer.

Vimos que não existe unanimidade entre os autores quanto à composição precisa dos ingredientes que entram na confecção do remédio e, acreditando que cada pessoa tenha tido experiência pessoal do que sugere, aconselharia ao leitor que escolha a melhor das variantes da fórmula, isto é, a que estiver mais a seu gosto, mais doce, menos doce, já que, quanto à cura, que é essencial, ou o objetivo último a ser alcançado, todas elas prometem realizá-la... Fundamental, portanto, é preparar o remédio, usando os ingredientes citados, observadas as proporções aproximadas.

Portanto, leitor, toda vez que houver alguém com o problema do câncer, se com *uma folha de babosa* em meio quilo de mel e a bebida destilada ou *duas* ou *três* ou *até quatro* ou *mais*, você considere-se livre na escolha. Porém, não deixe de fazê-lo: *Plus vel minus non mutat speciem*. Agora, pôr em prática a fórmula pode ser a chance proporcionada ao doente de recuperar-se. Você entra nesta briga. Você decide.

Nota: nos dias em que datilografava [sic.] estas páginas tive em mãos a brochura *Saúde básica – Remédios caseiros*, elaboração da Irmã Flávia Birck, caderno que serve para a Ação Social Diocesana de Santa Cruz do Sul.

Especificamente sobre a receita da babosa para o tratamento do câncer, apresenta uma variante que achei oportuno registrar, dada a abundância na quantidade da planta. À p. 9 encontramos: "Xarope [não se trata de xarope!] de Babosa":

– 2 folhas grandes de babosa

– 1/2kg de mel

– 2 colheres de cachaça

Preparo: retirar os espinhos da babosa e picá-la. Juntar o mel e bater no liquidificador até formar um creme, juntando a cachaça. Guardar na geladeira.

Dose: tomar 1 colher de sopa em jejum, antes do almoço e antes do jantar (preventivo de câncer).

Cura de câncer: tomar a primeira dose durante 10 dias. Suspender 10 dias. Repetir a dose.

À p. 19, sob o n. 19 "Câncer: evitar, usando alimentação natural. Emoções positivas. Solução de problemas. Perdão a si mesmo e aos outros. *Receita*: bater no liquidificador 2 folhas picadas (1/2kg) de babosa, sem os espinhos. Juntar 1/2 quilo de mel e 2 colheres de sopa de cachaça. Bater até formar creme. Deixar em vidro escuro na geladeira".

Receita: 1 colher de sopa de manhã e à noite, durante 10 dias. Suspender 10 dias e repetir 10 dias.

> *Se você é portador de câncer, durante o tempo em que estiver ingerindo o conteúdo de seu frasco de babosa (dura uns 15 dias), apresse sua vitória sobre o mal, evitando consumir carne de qualquer tipo, bem como derivados de animal. Substitua a carne, com vantagem, por frutas, legumes, verduras, cereais e derivados. Motivo: o câncer se alimenta das proteínas animais.*

5 POSOLOGIA
(como tomar)

Vimos, no capítulo anterior, que não existe unanimidade quanto à quantidade precisa dos ingredientes que entram na confecção do remédio. E, se você observou, há diferenças substanciais entre uma variante e outra. Para refrescar a memória, vale lembrar que se passa de um extremo de *duas folhas de babosa* em um *quilo de mel* ao outro extremo de empregar *três folhas de babosa* em *meio* quilo de mel. É muita diferença entre uma proposta e outra.

Idênticas diferenças defrontamos quando os autores nos ensinam a como tomar o remédio, ou seja, a quantidade, tanto para a cura do câncer quanto no caso de o remédio ser usado como preventivo. Ou então, siga-me com paciência:

• Irmã Maria Zatta, em seu livro *A farmácia da natureza*, diz textualmente sobre o assunto: "tomar 2 colheres 2 vezes por dia durante 10 dias". Isto se a pessoa for portadora de câncer. Em nova alínea fala sobre a posologia para evitar o câncer: "para evitar o câncer a receita é a mesma, mas só tomar 2 colheres por dia durante 10 dias. Fazer isto uma vez por ano".

• Paulo César de Andrade dos Santos, por sua vez, no seu citado livro *Saúde através das plantas*, à p. 38, sob "Como tomar", afirma: "Para se prevenir contra o câncer, toda pessoa deveria tomar, no mínimo, uma vez por ano, uma colher de sopa três vezes ao dia, durante 10 dias. Para curar o câncer, tomar duas colheres 3 vezes ao dia, durante 10 dias, parar 10 dias e tomar mais 10 dias e assim sucessivamente, até obter a cura total".

Como se observa, existem diferenças notáveis entre os autores no caso de fórmula "preto no branco", escrita no papel. Podemos imaginar as variações que devem ocorrer quando a fórmula é transmitida oralmente, através das gerações!...

No meu caso, fico informado por pacientes através do telefone.

Assim, Irmã Arcângela, de Roma, com câncer, já em fase metastática, tomou nosso preparado por *75 dias ininterruptos*, apesar de advertida da importância de pausa de uma semana, no mínimo, depois de terminar o conteúdo do frasco. Explicou seu procedimento, desesperada, no afã de buscar sua cura. Viu, no preparado, sua única tábua de salvação. Resultado: curou seu câncer! Hoje trabalha, como voluntária, num hospital no Trastévere, na Cidade Eterna.

Irmã Helena, uma libanesa, carmelita de vida ativa, que mora e atua na cidade portuária de Haifa, Israel, carregou *750 gramas de massa de babosa* e a bebida destilada (araq) em *500 gramas de mel*. Levei tremendo susto com tal exorbitância. Tranquilizou-me: o paciente que ingeriu tal dose ficou livre do câncer.

Jerônimo Giácomo (Via Venero, 122 (Vila Elisa) - fone: (091) 640.4204 - Monreale - Palermo, Itália), com câncer no fígado, com poucos dias de vida, toma sua colherada generosa do preparado, *sem interrupção*, já durante dois anos. É a saída que encontrou para controlar o mal, uma vez que não consegue expelir nem dobrando a dose (já experimentou).

Se discordam os autores na quantidade, seja na composição do medicamento como na indicação da dosagem em que deve ser ingerido, todos são unânimes nos três ingredientes da composição. Estes não podem faltar.

Adiante, daremos alguns esclarecimentos, também na tentativa de explicar a citada fórmula em bases científicas. A prática popular, com todas as suas variantes, encontra respaldo científico? Ou, ainda, a ciência ajuda na confiabilidade da fórmula ou é apenas uma crendice popular? Submetidos os ingredientes a testes de laboratório, quais os resultados?

Obtida a chancela duma segurança científica, com seu aval pleno, tais ingredientes e os efeitos que podem produzir no organismo humano na cura ou prevenção do câncer, quiçá possamos, com a prática, chegar a uma unanimidade não alcançada até hoje na experiência popular, tanto em relação à quantidade dos ingredientes na composição do medicamento, bem como a necessidade ou não de estabelecer diferenças na posologia quanto à cura, ou quanto à prevenção da(s) doença(s).

Nota Bene: preparado o medicamento, quando já em repouso, necessariamente o mel, elemento mais pesado das três partes, obedecerá à tendência natural de ir para o fundo do recipiente; a espuma da batida ficará ocupando a parte superior. Antes de servir-se do preparado, portanto, não deixe de agitar bem o frasco, a fim de misturar os diversos elementos.

Se você é diabético e tiver receio que o mel, não sendo genuíno, poderia agravar seu problema, triture a babosa e a bebida destilada de sua escolha, usando suco de fruta, legume ou verdura, para criar o contraste (em lugar do mel). Prepare a cada dia um suco fresco.

Em relação ao mel, a propósito, há pessoas que são alérgicas ao produto. Se for o caso, isto é, se a pessoa for alérgica ao mel, poderá experimentar prisão de ventre. Evite o problema, substituindo o mel no preparado, como faz o diabético, isto é, substituindo-o por suco de fruta, verdura ou legume. Mas se você tolera bem o destilado e a babosa, não há necessidade de providenciar o suco.

6 PERGUNTAS E RESPOSTAS

Imagino que você esteja com muitas perguntas a fazer. Abrimos o presente espaço, num verdadeiro pingue-pongue, para longo diálogo. A matéria nasce das dúvidas surgidas ao telefone e, ao vivo, nas palestras mantidas.

A receita para curar câncer, ou prevenir-se contra ele, poderá parecer ingênua. Simplória. Concordo. Ou, como dizíamos naquela roda de chimarrão, assemelha-se à "descoberta da pólvora" ou ao "ovo de Colombo". Mesmo assim, atrevo-me a acrescentar algumas explicações, à guisa de esclarecimento. Tomo a liberdade de propor perguntas que o leitor talvez desejasse colocar. Poderá não ser precisamente esta a sua curiosidade ou dúvida, mas deve andar por aí. Imagine-se formulando perguntas...

— Por que entra o mel de abelha na confecção do medicamento? Em seu lugar, na falta dele, não se poderia usar, por exemplo, o açúcar?

— Usa-se o mel de abelha, genuíno, com as qualidades deste produto, porque é tido, desde tempos imemoriais, como ótimo alimento. O mel atinge o nosso organismo até os pontos mais distantes. É neste veículo que a babosa viajará, a fim de varrer, no caminho que percorre, as impurezas que encontrar pela frente. No processo, realiza-se uma limpeza em regra em todo o organismo, sobretudo no sangue, o que pode redundar na cura do câncer, bem como de outras doenças relacionadas com ele, como, por exemplo, reumatismo, artrose, etc. Sangue, todos sabemos, é vital para o corpo humano. Desempenha idêntica função à gasolina no motor de explosão. Sabemos que o motor fica em pandarecos, em dois tempos, quando o combustível, que o move, for impuro ou de inferior qualidade. O contrário igualmente é verdadeiro: um motor desenvolverá melhor e durará mais, quando se injetar qualidade no combustível. Compreende-se, portanto, que um sangue purificado seja responsável direto pela saúde do organismo e, por conseguinte, pela vida da pessoa. Ora, ingerindo nosso medicamento, você estará investindo em sua saúde, injetando-lhe qualidade, prolongando a vida, porque buscou melhorar seu padrão. Compreende-se a importância de proceder-se a uma limpeza, uma vez por ano. Trata-se da manutenção, que é uma necessidade. Considere-se um felizardo por não ser portador do câncer. Previna-se contra ele, porém, e livre-se de outros achaques, preparando, você mesmo, a sua dose de babosa, ao menos, uma vez por ano.

– Por que a bebida destilada entrou a fazer parte dos ingredientes que compõem esta beberagem?

– Em si, a bebida destilada poderá parecer o elemento menos importante dos três e até dispensável. A primeira explicação que me deram foi a seguinte:

Lá nos fundões, nas grotas aonde ainda não chegou a eletricidade, a gente não possui geladeira. Sem aparelhos eletrodomésticos, o medicamento poderia deteriorar-se. A bebida destilada teria a função de conservar o medicamento sem azedar. Compreensível a explicação.

Mais tarde, colhi comentário curioso, mais refinado: a função da bebida destilada seria a de dilatar os vasos sanguíneos. Para que entendesse melhor, ilustraram tal função, referindo-se ao fato de médicos, às voltas com pacientes com problema de circulação, receitarem uma dose de uísque, como forma de corrigir tal deficiência. Também achei lógica a explicação. Com o exemplo dado, pareceu-me entender melhor a função da bebida destilada. Compreendi até que pessoas de mais idade, por exemplo, dilatados os vasos sanguíneos, acelerariam o trabalho de faxina, efetuado pela babosa e pelo mel.

Ultimamente, soube, fruto de pesquisas científicas, que a função real da bebida destilada, como terceiro elemento do preparado, não entrou à toa ou por capricho. Cabe a seguinte explicação: quando se pica a folha da babosa, escorre líquido viscoso, longo, esverdeado, amargo, rico em propriedades medicinais, chamado aloína. O organismo humano não o absorveria integralmente, não fosse dissolvido pela bebida alcoólica. A gente quer frisar que as duas primeiras explicações não são vazias de sentido. Têm seu valor, sim, sobretudo a segunda, que dilata os vasos sanguíneos, bem como a primeira, a de conservar o creme, até fora da geladeira, num armário ou mesa de cabeceira, fora da luminosidade, sem estragar.

Falando em bebida destilada, vale frisar que qualquer uma delas pode servir, como a nossa cachaça (Brasil) ou conhaque ou uísque, tequila (México), grappa (Itália), bols (Holanda), araq (palestina e países árabes), entre outras. Não se usa vinho nem cerveja, porque são bebidas fermentadas, com menos concentração de álcool, necessitando, se fosse o caso, para a função, de maior volume. Licores, de qualquer espécie, ficam fora de cogitação, porque são produzidos à base de açúcar.

– O que é babosa?

– Internacionalmente, é conhecida por *Aloe,* com variante aloés, planta suculenta, medicinal, da família das liliáceas (*Aloe succotrina*, *Aloe vera*, *Aloe humilis*, *Aloe perfoliata*, *Aloe vulgaris*, *Aloe barbadensis*, *Aloe arborescens*, *Aloe ferox*, etc.), semelhante ao ananás, porém menor. Suas folhas grossas são orladas de espinhos em serrilha de ambos os lados. Ao leve toque de objeto cortante, deixa escorrer, de sua folha verde, um líquido lento (que se assemelha à baba que sai da boca do boi quando este mastiga espiga de milho, raiz de mandioca ou objeto duro, daí o povo chamá-la de "babosa", por lembrar a baba que escorre da beiçada do boi), de cheiro característico forte, esverdeado, viscoso ou gosmento, amaríssimo. Nos países de língua espanhola, a planta é conhecida por sávila, com inúmeras variantes.

"Áloe" vem do árabe. Do árabe, via grego e latim, chegou até nós, para dar nome científico à planta. Na língua original, significa amargo e brilhante ou transparente, porque, quando se remove a casca, o gel interno assemelha-se a bloco de gelo lavado.

As folhas desta planta podem variar, em tamanho, de vinte a sessenta centímetros, segundo a qualidade do solo e da maior ou menor abundância de água e sua exposição ao sol.

Do centro da planta sai uma vergôntea ou haste, cuja extremidade superior cobre-se de flores, variando do branco, passando pelo amarelo e chegando ao alaranjado e vermelho, segundo as inúmeras variedades. As flores surgem ao final de outono e entrada de inverno, durando até o fim da estação. A babosa comum (*arborescens*) dá flor alaranjada.

As folhas, grossas, rechonchudas, entram, em estado adulto, na composição do nosso remédio. Se a gente se der ao trabalho de aparar levemente a casca verde (envelope), da operação sobra uma parte carnuda, flexível, flácida, semelhante, na cor, a um cubo de gelo que se lavou por algum tempo, isto é, transparente qual bloco de vidro molhado.

Cansou com tantas e longas características? O objetivo é ajudar na identificação da planta. É fundamental identificar a planta, sempre que se apela para a natureza e se quer preparar um chá. No caso da babosa, existem centenas, talvez até milhares, de tipos diferentes. Todos servem, isto é, todos são igualmente medicinais? Alguns mais, outros menos? Todos são igualmente portadores do princípio ativo contra o câncer?

Diante do impasse, quando de minha visita ao Jardim Botânico de Palermo, Sicília, Itália, desafiei Francisco Maria Raimundo, diretor, a fim de que submetesse a exame os 140 tipos diversos de *Aloes* existentes no parque, auxiliando-se de um fitotécnico. Prometeu atender meu pedido, mas ainda não me enviou [sic.] os resultados de seus estudos. De há muito que gostaria de encontrar solução para o caso. A resposta simplificaria tudo. Imagine se todos os tipos de babosa fossem igualmente medicinais!... Não haveria margem de erro.

Enquanto não surgirem dados ou experiências fidedignas para ulteriores afirmações, continuo a usar o tipo de babosa que todos conhecem como tônico capilar e sobre o qual tenho larga experiência. Tal tipo de babosa, quando chamada, sempre respondeu bem. Há tipos de maior capacidade medicinal? Há algum tipo que é mais tóxico e a que ponto? Tudo é matéria virgem; espera estudo.

Um lembrete: à família das liliáceas pertence o alho e a cebola usados todos os dias em nossa cozinha.

– Por que tomar o medicamento antes das refeições?

– Antes das refeições, as pepsinas, enzimas do suco gástrico, capazes de hidrolisar proteínas, cuja função é ajudar na digestão dos alimentos, estão aflitas para entrar no exercício de sua função. Com o estômago vazio, encontram todas as vias desobstruídas, facilitando seu funcionamento e possibilitando o transporte do medicamento até os pontos mais extremos do organismo. Fundamental, pois, que se tome o remédio antes das refeições, momento em que as pepsinas estão ávidas para entrar em campo e trabalhar para o conjunto. Se você, ao contrário, tomasse o medicamento após a refeição, entende-se que as pepsinas estão esfalfadas pelo trabalho todo que tiveram com a refeição e que, nesta altura, estão pedindo tréguas ou merecido descanso. Tomar o remédio depois das refeições seria pôr em risco sua eficiência.

– Por que Irmã Maria Zatta e outros autores aconselham colher as folhas de babosa de manhã, antes de o sol nascer, ou à tarde, depois do sol posto?

– Porque, sem a presença do sol, não se fazem presentes os raios ultravioleta e infravermelho, prejudiciais às plantas quando usadas ou expostas em suas propriedades medicinais. Instrução sábia esta da religiosa, medida prudente que se deveria observar em relação às demais plantas e ervas medicinais, quando colhidas para tal finalidade! Especificamente, o motivo de se evitar a luz ou claridade é que, na babosa, encontra-se uma substância que reage ao câncer e que, ao entrar em contato com a luz solar ou mesmo com a luz artificial, prejudica seu efeito ou o princípio ativo que a planta possui contra tal doença.

– Deve-se evitar de colher as folhas de babosa logo após a chuva?

– Sim. A chuva, dada a grande adiposidade da planta, penetra nas folhas. E água em quantidade não interessa na preparação do remédio. Água, a planta já oferece em mais de 95%. Colher as folhas uma semana depois da última chuva já seria o suficiente. Se ocorrem chuvas frequentes, prepare a metade ou a terça parte da receita. Terminada esta parte, prepare outra porção. Desta maneira, terá um preparado sempre fresco.

Idênticos cuidados se deveriam tomar, *a fortiori*, em relação a folhas expostas à poluição, como as que estão plantadas à beira de rodovias muito movimentadas, esgotos, salas onde se fuma. As folhas da babosa absorvem os elementos tóxicos existentes a seu redor, dada a sua natural porosidade, o que as tornam absolutamente contraindicadas na confecção do medicamento. Água, tóxicos, evitem-se! Escolham-se, enquanto possível, folhas livres de tais inconvenientes.

– Que idade deveria ter um pé de babosa para considerar-se na idade ideal para fornecer folhas maduras?

– A planta obtém sua maturidade plena a partir dos cinco anos. Em caso de necessidade, é claro que se pode lançar mão de folhas de plantas mais jovens. O ideal mesmo é sempre o de se conseguir, na medida do possível, confeccionar medicamento que corresponda 100%; porém, caso haverá em que a gente só se pode contentar com 95%. Busquemos, enquanto possível, sempre o mais perfeito ou aproximarmo-nos dele.

– A pessoa acometida de câncer, tomando o remédio, segundo a fórmula dos três elementos, como ficou explicado, sempre se livra do mal?

– Quando alguém que, segundo o diagnóstico médico, está com câncer, seguiu o tratamento com este remédio, três hipóteses podem ocorrer, a saber:

1) Cura total do indivíduo, não importa o tipo de câncer nem o estado em que se encontra a pessoa, podendo tra-

tar-se até de doente já em fase terminal. Temos muitos fatos que garantem a verdade de tal afirmação, embora possa parecer algo extraordinário ou milagroso. Quando você compreender todo o potencial existente na babosa, concluirá que não se trata de milagre no sentido estrito, mas algo que se encontra em nossa natureza, criada por Deus. Abrir-se-á capítulo inteiro sobre este assunto. Aguarde...

2) Constata-se, pelos exames médicos, que houve o bloqueio do mal, isto é, a doença não se alastrou. Progredir seria o normal, não fosse o tratamento. Normalmente, ocorrendo esta hipótese, os valores, se confrontados com os exames anteriores, permanecem estáveis, tendo diminuído ou aumentado de maneira insignificante. Repito: sem este tratamento, o mal deveria ter-se alastrado de forma perceptível.

3) O tratamento não surtiu nenhum efeito, antes, registra-se que o mal se alastrou, segundo a análise dos exames, como se nada tivesse efetuado.

Nota: temos tido experiência com as três hipóteses.

– Não poderia aprofundar um pouco mais o fenômeno das três hipóteses? Que atitudes caberiam, especialmente em relação às duas últimas, ou seja, quando não se alcançou o objetivo último, a saber, a

cura do paciente, fato que ocorre sob a primeira hipótese?

– Boa colocação! A profilaxia a seguir oportuniza respostas. Vamos ao comentário que cada uma das hipóteses merece:

1) Se você ou seu paciente se encontra sob esta hipótese, ótimo. Parabéns! O remédio surtiu o efeito desejado. Você está curado. Querendo eventualmente preparar um segundo frasco, como preventivo, para garantir e confirmar a cura, mal não fará. Deixe passar alguns meses e repita a dose, sem medo de ser feliz. Repetir o tratamento, dentro de um ano, é prudente indicação.

2) Você obteve excelente resultado. Você está no caminho certo; bastará perseverar. Digamos, em termos matemáticos, você conseguiu, ao menos, 50% do resultado em mira. Com mais um empurrão, ou seja, com mais uma rodada, você atingirá a sonhada meta, a cura total. Porém, deverá repetir a dose, o que não é bicho de sete cabeças. Repetir a dose é fundamental. E repeti-la tantas vezes quantas forem necessárias, para obter a cura definitiva. Friso para que não cometa a imprudência de parar no meio do caminho; se o fizer, causará a perda de todo o progresso anterior. É que o câncer, que parecia entrar em colapso, redobrará as forças para se recompor e atacar com maior violência. Se você não repetir o tratamento, não espere melhora ou cura;

e não se tratar será fatal. Mal comparando, o câncer é como o enfermo. Durante sua enfermidade, não experimenta disposição para coisa alguma. Na convalescença, porém, superado o mal, volta o apetite para repor o que perdera. Imagine com que voracidade devorará o organismo, operação que fora obrigado a abandonar por efeito do remédio! Agora é tirar o atraso! Em dois toques, o parasita terá sugado seu patrão. Exemplo típico deste caso foi o de Irmã Margherita, com câncer de mama. Ingerido o conteúdo de um frasco, no Hospital Italiano de Haifa (Israel), sentindo-se em perfeitas condições, reassumiu suas atividades, dispensando exames e qualquer acompanhamento médico. Não se completou um ano e a freira era defunta. Sua ficha médica não pode ser mais ilustrativa: informa que bloquear o progresso do mal é excelente, mas não basta. Essencial é repetir a dose e acompanhar-se de exames médicos sérios.

3) Você não obteve resultado positivo algum com o tratamento feito. Porém, não há motivo para desespero. Você sabe que convive com a fera. É preciso dominá-la. E você vai conseguir, claro. Você está com o queijo e a faca na mão, isto é, com as armas a seu alcance: use-as, sem medo e com confiança. Aliás, esta é sua única chance, mas chance concreta, real. Parta para mais um frasco. Mesmo que seu caso pareça grave, gravíssimo até, em fase terminal, quem pode garantir que não terá eficácia? Não se deixe levar nem se impressione com o que dizem os outros. Enquanto há

vida, há esperança; portanto, vale a pena combater para salvar sua vida, o dom mais precioso que você possui. Terminado o conteúdo do último frasco, deixe passar três, cinco dias, uma semana e retome o tratamento. Se for preciso repetir a dose duas, três, quatro vezes, faça-o. Persevere. Teime em livrar-se do mal. Você conseguirá. Não se entregue à doença; você é mais forte do que a fera. Sua força pessoal, sua vontade de viver dispõem de poderoso aliado, que é este medicamento.

Se posso dar um conselho e acentuar a importância, penso que nas duas últimas hipóteses, depois de consumir três a quatro frascos, sem alcançar o objetivo desejado – a cura –, apele para o remédio em dose dupla, isto é, em vez de *tomar uma colher* das de sopa de manhã, ao meio-dia e de noite, *tomar duas colheres* de cada vez. Faça isto até curar. Aliás, atrás deste conselho encontram-se pessoas de larga experiência, que me dão respaldo...

– Sei que estou com câncer porque os exames médicos me garantem e meu médico o diagnosticou. Fiz o tratamento com a babosa. Sinto-me muito melhor, bem mesmo. Como poderia ter certeza se fiquei curado de todo ou não?

– Simples. Basta submeter-se novamente a exames médicos. Assim como deu positivo pelos exames anteriores, com nova bateria de exames e fazendo um paralelo entre ambas as baterias, seu caso ficará esclarecido, e você terá a tranquilidade de que precisa. Somente esta análise dará resposta segura. A análise é sumamente importante, primeiro, para seu controle e segurança e, em segundo lugar, com os dados na mão, que procedimento cabe, a saber, preparar ou não um novo frasco!

O ideal seria que a pessoa, antes de iniciar o tratamento com a babosa, conhecesse o diagnóstico médico: de fato, os exames indicam a presença de tumor maligno. Providencia-se o tratamento com a babosa. E terminado o conteúdo do frasco, seguem-se novos exames, bem rigorosos. Os exames realizados agora, comparem-se com os anteriores. Feito isso, você cairá sob uma das três hipóteses já expostas acima. Ora, diante delas, você sabe as providências cabíveis. Não perca a calma, nem mesmo se o seu caso coincida com a hipótese 3. Se for, você está informado. No caso da hipótese 2 e da hipótese 3, deve-se providenciar um próximo frasco. E persevere, pois você vai conseguir o objetivo, garanto.

– Graças a Deus, gozo de boa saúde e penso não ser portador de câncer. Gostaria, porém, dada a incidência desta doença em nossos dias, de prevenir-me contra ela. Como devo agir? O que devo fazer?

– Prepare o remédio com os mesmos ingredientes e tome-o na mesma dosagem como se fosse portador de câncer. Como, felizmente, sabe que não existe tal doença aninhada em você, não precisará repetir a dose que um doente de câncer deve fazer, caso o mal continuar e, consequentemente, não se tenha realizado a ambicionada cura.

Realizando o tratamento uma vez por ano, será a garantia que o câncer ficará afastado de você. O tratamento, uma vez por ano, no mínimo, garantir-lhe-á um organismo sadio, um sangue puro. E câncer não "pega" em tais condições, pode crer. Pessoalmente, preparo minha dose umas quatro vezes ao ano, alternando-as à entrada ou saída das estações.

– Mas, afinal, o que é câncer?

– O câncer é uma doença que sempre existiu, embora, em nosso tempo, se constate uma incidência maior, alarmante até, quase que fazendo parte da vida de rotina do homem moderno. É um crescimento desordenado das células. Enquanto as células sadias e cancerosas convivem pacificamente, não há problema. As dificuldades aparecem quando o embate entre as células sadias e doentes torna-se desproporcional. Você tem câncer.

A doença destrói as células do organismo, deteriorando-o inexoravelmente, se não se tomarem providências em tempo, devido a impurezas depositadas nele. As células tóxicas, ou por falta de alguma substância ou por sobrecarga de outras, também doentes, entram em colapso e em conflito com as sadias. Com o tempo, esta luta insana vai cansando o organismo, dada a desproporção demasiada entre elas, com domínio das células doentes. No início, pode não haver o alerta da dor, mas, lentamente, forma-se o tumor, que segrega tóxicos, atacando desproporcionalmente as células sadias, até o organismo não conseguir mais sustentar o duro embate: você, fatalmente, é portador de câncer, mal que pode apresentar-se em inúmeras variações e em todas as partes do corpo, interna ou externamente.

O câncer é a manifestação da incrível inteligência, capacidade de adaptação e defesa do organismo. Poderíamos comparar a manifestação do câncer, no organismo, à faxina que se processa no ambiente duma casa ou sala. Realizada a varreção, recolhe-se o lixo, isto é, aquilo que a gente não utiliza e até estorva ou suja. Joga-se a coleta em local determinado, a fim de não poluir ou estorvar. O organismo se livra do que sobra no seu interior e, num grande esforço, tenta livrar-se daquilo que o prejudica. É quando explode ou se manifesta o tumor em local determinado no corpo. Assemelha-se, também, ao vulcão. O calor, nas entranhas da terra, um dia irrompe, já que não há como conter-lhe a violência, em consequência do alto grau de temperatura. E explode. O organismo, num sábio processo, recolhe as toxinas e as dejeta num determinado órgão, como se fisesse uma tentativa de salvar o restante do todo; sacrifica uma parte para salvar o todo.

A medicina ortodoxa, no âmbito das doenças degenerativas (Aids, câncer, escleroses, distrofias, etc.), continua a propor e impor, como terapia, intervenção violenta (operar = cortar), sempre que o mal aparece localizado. Tenta deter o tumor à base de radioterapia, quimioterapia e similares, como se fosse provado que, extirpando o órgão afetado, acontecesse, como por encanto, a cura do paciente. Normalmente, porém, extirpado o foco, apenas se adia a caminhada inevitável do paciente rumo à morte, ou seja, não acontece a cura. Como não cura, o câncer invade outros órgãos ou pontos do corpo, e o doente entra em metástase. O mal transmite-se pelo organismo através do sistema linfático e/ou sanguíneo. É o fim iminente.

Nossa fórmula propõe-se recuperar o organismo doente, limpando-o. Nossa fórmula fortalece o sistema imunológico, enfraquecido pelo correr dos anos, durante os quais foi golpeado por alguma forma de conflito, físico, psíquico ou espiritual. No capítulo sobre as virtudes ou propriedades da babosa, veremos como ela sai em socorro do organismo enfraquecido. Operar ou apelar para a radioterapia ou quiomioterapia é, no máximo, protelar a morte.

– Quais seriam, então, as causas do câncer?

– 1) O câncer apresenta causas físicas. O homem vive em ambiente cada vez mais poluído. A poluição manifesta-se na qualidade cada vez pior dos alimentos, da bebida, do ar. Podemos citar Tchernobyl, as explosões atômicas, o buraco na camada de ozônio, herbicidas, inseticidas, conservantes, carros poluentes, etc.

2) O câncer é causado por poluição psíquica. Grandes choques emocionais, por exemplo, o sequestro ou a morte do filho único, a falta de sentido na vida, a infidelidade do consorte para a parte fiel, a separação dos pais para o filho adolescente, a perda de amigo íntimo, o fracasso em projeto de vida ou negócios, excesso de trabalho, preocupações constantes, a perda de um grande amor, a sucessão de fracassos, etc.

3) O câncer pode causar-se por poluição espiritual, escrúpulo. Afirma-se, levianamente: "um pecado a mais, um pecado a menos, não tem importância"! Tem! Como pode manter-se de consciência tranquila, por exemplo, a pessoa que provoca aborto ou pode ficar sem tara, impune, quem matou o seu filho!? O ódio, a inveja, a raiva, a sede de vingança corroem o ser humano. Evite tais sentimentos, altamente danosos à pessoa que o alimenta. Cultive sentimentos positivos. São benéficos a você e às pessoas que o(a) rodeiam.

Aprendemos que o corpo humano constitui-se de alma e corpo (Concílio de Trento); hoje acrescentar-se-ia, com sentido, um terceiro elemento, a saber, o espírito. São três elementos, interligados e interpenetrados, perfeitamente distintos, vindo a constituir-se num único ser (assim como Pai, Filho e Espírito Santo, três pessoas distintas, constituem um único Deus).

Sabemos que, se um elemento entra em conflito ou sofre danos, os demais se prejudicam, como também, ao contrário, o benefício de um aproveita ao todo. Os três estão interligados. É porque o homem está poluído ou física ou psíquica ou espiritualmente que adoece. Para curá-lo, será preciso recuperar o sistema imunológico debilitado e que ameaça desmoronar. Ora, a nossa fórmula se propõe a realizar esta recuperação, verdadeira façanha. Nossa receita opera uma faxina, espremendo a esponja que absorveu tantas toxinas e procura-lhes uma válvula de escape; sem cortar órgãos, mas pelas vias naturais de escoamento, realiza a operação-limpeza em todo o organismo.

– Que sintomas apresenta o portador de câncer? Ou, pode-se prever este tipo de doença?

– Passamos a palavra a um profissional qualificado, o Dr. Mário Henrique Osanai, médico oncologista e cirurgião oncológico do Hospital Santa Rita, do Complexo Hospitalar da Santa Casa, de Porto Alegre: "Existem alterações que não significam necessariamente a presença de um câncer. Deve, no entanto, haver uma investigação criteriosa por um profissional qualificado, no sentido de elucidar a causa da ocorrência destas alterações. As principais são: feridas que não cicatrizam, ínguas em qualquer parte do corpo, caroços, nódulos ou endurecimentos, com mudança de cor, tamanho, sangramento, coceira ou dor em algum sinal, pinta, ferida ou verruga, dentes amolecidos ou fraturados, dificuldade para urinar ou engolir, emagrecimento sem causa aparente, sangramento pela boca, nariz, vagina (após relações sexuais ou após a menopausa), sangue na urina, fezes ou escarro, alteração de voz (rouquidão permanente)". Confira: "Viva melhor". *Zero Hora*, de 11/01/96.

Diante de tais sintomas, consulte o médico de sua confiança. E um frasco de babosa, como preventivo, porá ordem na casa.

No jornal *Zero Hora* de 02/08/97 o mesmo Dr. Mário Henrique Osanai responde à seguinte pergunta:

– Quais as principais formas de prevenção do câncer?

– A prevenção do câncer é uma importante tarefa do cotidiano do médico, já que estará combatendo, simultaneamente, dezenas de outras patologias e diminuindo a mortalidade. O Ministério da Saúde estabeleceu algumas medidas para os casos de maior incidência no Brasil.

Pele: proteção contra a exposição aos raios solares, especialmente das 10h às 14h. Pessoas que se expõem ao sol devem usar chapéus e roupas adequadas, além de protetores solares. O autoexame da pele em busca de manchas que surgem ou que se modificam é também uma ação recomendável.

Colo uterino: toda mulher com vida sexual ativa deve submeter-se a exame preventivo periódico, dos 20 aos 60 anos de idade.

Pulmão: combate ao tabagismo.

Boca: higiene adequada, consulta odontológica, combate ao etilismo e ao tabagismo, dieta rica em vegetais e frutas.

Estômago e intestino: dieta pobre em alimentos defumados e conservados e rica em alimentos frescos ou congelados, fibras, vegetais e frutas, combate sistemático à prisão de ventre, controle médico periódico de quem se inclui dentro do grupo de risco (gastrectomizados, portadores de gastrite crônica atrófica, pólipos vilosos, metaplasia intestinal e anemia perniciosa).

– Que tipos de câncer pode curar o remédio aqui receitado?

– Como nosso preparado opera total faxina no organismo, fica mais fácil compreender que tal tratamento pode curar realmente todo e qualquer tipo de câncer. Poderá parecer que esteja arrotando vantagem, mas não é. Se lhe parecer impossível, tente raciocinar comigo. Se o câncer é causado por mil e um tipos de impurezas que injetamos em nosso organismo, evidente que a limpeza que se providencia realizar nele, tomando o remédio, garantirá sangue novo, reforçará o sistema imunitário que desmoronava a olhos vistos e restaurará, automaticamente, sua saúde.

Temos notícias de curas efetuadas nas mais diversas partes do mundo, nos cinco continentes, com pacientes de câncer localizado: 1) cérebro; 2) cerebelo; 3) pulmão; 4) fígado; 5) próstata; 6) útero; 7) ovários; 8) trompas; 9) mamas; 10) garganta; 11) coluna; 12) ossos; 13) pele; 14) intestinos; 15) reto; 16) bexiga; 17) sistema linfático; 18) sistema sanguíneo (leucemia); 19) rins; 20) testículos, etc.

Poderíamos fornecer nome, endereço e telefone de pessoas curadas pela nossa fórmula simples, barata, ingênua. Não o fazemos por questões éticas. Há pessoas que não aceitam o fato de terem padecido de câncer. Há gente que até evita a palavra "câncer", substituindo-a por "doença feia", porque ela, fatalmente, leva sua vítima à morte. Respeita-se tal susceptibilidade.

– Na sua opinião, o câncer se transmite? Ou, dito com outras palavras, mais populares, a gente pode "pegar" esta doença?

– Dividem-se as opiniões dos estudiosos. Parece que fica, até chegarem dados mais esclarecedores, uma questão aberta, cientificamente.

A discussão não interessa, a não ser para satisfazer a curiosidade. Mas aqui vai nossa explicação, opinião que, a nosso ver, parece lógica. Optamos pelo ponto de vista que *câncer não se transmite*. Quais as razões que nos fazem pender para seguir tal opinião? Basta raciocinar um pouco. Mantendo sangue e organismo, em geral, em boas condições, não pode haver transmissão de doença. Evidente que nossos vícios alimentares, os abusos, podem predispor para o câncer, já que existe a tendência de o filho imitar os pais, tanto nas virtudes como nos defeitos. Havendo, porém, a purificação regular do organismo, como o câncer ou outra doença qualquer poderia se aninhar num organismo sadio? O segredo, portanto, é manter o organismo limpo.

Não se preocupe quando visitar pessoa doente de câncer. Você não "pega" a doença. Se câncer contagiasse, nenhum médico, enfermeiro e funcionário que atua em hospital de câncer estaria livre de contrair a terrível doença. Pode crer, câncer não se transmite, muito menos, num organismo sadio...

– Se uma pessoa cancerosa estiver se tratando ou com radioterapia ou quimioterapia ou tratamentos similares ou pretende submeter-se a alguma intervenção ou estiver ingerindo remédios indicados por seu médico, há inconveniente em tomar este preparado de babosa, mel e bebida destilada?

– Seja qual for o tratamento convencional a que a pessoa estiver se submetendo, seja qual for o remédio, receitado por seu médico, que estiver usando, absolutamente nada impede de, também, tomar o presente preparado. Pelo contrário. Testemunham-no pacientes que, tomando uma dose de babosa antes de submeterem-se à quimioterapia, suportaram melhor seus desagradáveis efeitos, tais como perda de cabelos (e até dos dentes, às vezes), febres, vômitos, diarreia, enjoo, tonturas e inapetência. Houve pessoas que nem sequer perderam os cabelos. Outras pessoas experimentaram apenas algum ligeiro enjoo, por poucas horas, não tendo registrado febre, por exemplo. Outras dispensaram cortisona e morfina, depois de uma semana de tratamento com babosa.

Se a pessoa estiver tomando receitas homeopáticas, não precisa suspendê-las, antes, continue com elas; ajunte a elas também a babosa.

Por uma questão de coerência pessoal e de respeito para com a opinião alheia, muitas vezes, de boa-fé, por parte do paciente, jamais aconselhamos a qualquer doente a que largue ou abandone o tratamento convencional em troca de nosso método. Temos em máxima estima a liberdade do ser humano, seu maior dom; use-a como lhe aprouver, segundo sua consciência, para seu próprio bem, inclusive, o da saúde. Aliás, conscientize-se de que você é o único responsável pela sua saúde.

Vale repetir que o tratamento aqui proposto é simples, natural, barato. Qualquer pessoa pode aplicá-lo. E pode ter resolvido seu problema. Se der certo, a pessoa retoma sua vida normal, completamente curada, sem mutilações, mesmo que tenha sido portadora da doença em fase terminal. Os exames médicos dão a garantia da cura perfeita.

Que a ciência, a medicina, com suas imensas possibilidades, com laboratórios à sua disposição, abra suas portas para experiências honestas, a fim de que a humanidade seja informada e possa ver solucionado o grave problema do câncer. Ou a ciência não quer ver resolvido o problema? Ou convém que a solução se mantenha ciosamente encoberta, porque há interesses maiores a serem salvaguardados?! Mas, se for assim, então trata-se de uma máfia. E, se é máfia, é preciso desmascará-la, livrando os homens de sua sanha diabólica... Não estamos protagonizando desafios. Pelo contrário. Propomos, isto sim, a união das forças todas, no sentido de resolver o problema de vez. Não será tarefa exclusiva da medicina. Ela deverá auxiliar-se de outras ciências, isto é, aproveitar-se da colaboração de todas as disciplinas relacionadas a este mal, a fim de ir ao encontro do ser humano na complexidade do seu todo. Qualquer contribuição, por mais simples que possa parecer, deve somar, quando se trata do bem-estar da pessoa humana no seu todo.

— Houve casos, na sua experiência, de pessoas cancerosas terem morrido de câncer, apesar de terem seguido o tratamento proposto no livrinho? Ou, como uma pessoa cancerosa, tendo seguido o trata-

mento aqui proposto, que se promulga como eficiente, pode vir a morrer vítima desta doença?

— Sim. Pode acontecer, como de fato aconteceu, que pessoa, submetida ao nosso tratamento, viesse a falecer e, precisamente, de câncer. Podemos arrolar algumas explicações plausíveis: 1) Não usou bem dos ingredientes, empregando, por exemplo, mel artificial, comprado no boteco da esquina como legítimo. 2) Não soube escolher bem a planta. 3) Empregou folhas velhas demais, já amareladas, quase secas. 4) Empregou folhas novas demais. 5) Não tomou o preparado na dosagem indicada. 6) Terminado o conteúdo do primeiro frasco, regularmente, não ocorrendo a cura e caindo sob a hipótese 2 ou 3, não se processando a cura completa, suspendeu o tratamento com um segundo frasco nem submetendo-se a exames. 7) Interrompeu o tratamento após alguns dias, não confiando mais nele, e se deixou levar pela convicção de que era um xarope como tantos outros e que não levaria a coisa alguma. 8) Deixou o frasco na prateleira criando pó. 9) Tomou só quando se lembrou, esquecendo muitas vezes de tomar. 10) Alguma causa de natureza desconhecida.

— Por que remover os espinhos de cima das folhas da babosa antes de triturá-las no liquidificador com o mel e a bebida destilada?

— Poderia acontecer que o liquidificador não moesse perfeitamente todos os espinhos. Sobrando algum, poderia, com ele, ao ingerir o remédio, ferir a boca, a garganta ou o estômago do paciente. Cortam-se os espinhos apenas para evitar acidente de tal natureza. Nada mais. Aliás, se encontrasse uma máquina mais potente que o liquidificador, não teria dúvida em moer junto também os espinhos, já que também neles existem propriedades medicinais.

Por falar em espinhos, remova-os de leve; não precisa entrar fundo na parte carnuda da folha. Basta raspá-los ou cortá-los ligeiramente, correndo a faca afiada de alto a baixo da folha, num zás! E pronto.

— Seria verdadeiramente este preparado de mel, babosa e bebida destilada o responsável único e direto pela cura do câncer e de outras doenças? Não entraria o poder da oração, da fé? De dons pessoais de quem prepara o medicamento?

— Acredito que a fé e a oração, por si, podem curar qualquer doença, uma vez que Jesus disse que a fé do tamanho da semente de mostarda, a menor das hortaliças, pode transportar ou deslocar montanhas. Evidente que aqui não queremos sequer insinuar que a oração, de qualquer espécie e realizada por pessoa de toda e qualquer religião, não tenha valor. Tem! E muito. É muito válida a oração feita com fé. Porém, os ingredientes acima citados, buscados na mãe natureza, criada por Deus, dispõem em si de elementos medicinais que efetuam o "milagre" em favor de quem a eles recorrer! Se o tratamento vier acompanhado da oração e da vontade ou disposição do paciente em querer curar-se, psicologicamente, ajuda e muito. O contrário também é verdadeiro. E não apenas no caso do tratamento de câncer. Em qualquer doença, a colaboração e a ajuda do paciente representa uma mão na roda na caminhada rumo à cura... Virá dia em que ficará provado, por testes realizados em laboratórios, que é esta poção que realiza o "milagre" e não se atribuirá o "milagre" a alguma bênção ou força positiva de quem prepara o remédio. Nem a rezas ou bruxarias, como fazem os curandeiros. Nem à oração. Nem à água benta. Nem a Fátima. Nem a Lourdes. Nem a Aparecida. Nem a Guadalupe. Nem...

E para não ficar em muitas palavras, o leitor tenha a paciência de seguir calmamente o que se tornou de conhecimento público sobre as propriedades medicinais desta maravilha da natureza que é a babosa. Será matéria de capítulo especial. Se interessar, o leitor toma conhecimento; caso contrário, salta a matéria. Será matéria para satisfazer a curiosidade.

– Por que limpar as folhas antes de preparar o remédio?

– A planta, exposta ao tempo, acumula pó e outras sujeirinhas. Remove-se esta sujeira, limpando-se a superfície das folhas, com pano seco ou úmido, ou esponja. Evite lavá-las, uma vez que água não interessa na preparação de medicamento. Evite infiltração de água. Quanto menos água nas folhas, melhor. Já foi dito: aconselha-se colher a babosa, para uso medicinal, uma semana após a última chuva. Daí o conselho de remover o pó, possivelmente, usando pano seco ou úmido ou esponja, em vez de lavar com água.

— Podem ser observados efeitos estranhos ou mesmo algum desconforto no organismo da pessoa que está fazendo ou fez o tratamento da babosa?

— Se havia algo que se constituía em problema no organismo, de uma ou de outra forma, o corpo estranho deverá ser expelido. A natureza é muito sábia. Pode reagir da maneira mais surpreendente e inimaginável. Temos tido informações de pessoas que tomaram o medicamento e apresentaram reações, como:

1) Na pele, via poros: a) coceira, prurido por todo o corpo, b) erupções pelo corpo, tipo sarampo, c) bolhas d'água, até mesmo na palma da mão ou na planta do pé, d) furúnculos, abcessos, tumores.

1.1) Via fezes: a) fezes mais fétidas do que o normal, b) gases mais fétidos, c) desarranjo, diarreia.

1.2) Via urina: a) urinar com maior frequência, b) urina mais escura, puxando notavelmente para o marrom,

c) urina tirante a sangue batido, misturado com água, como se fossem adicionadas algumas gotas de vinho tinto em copo d'água cristalina.

2) Outros fenômenos: a) vômitos, b) vomitar, de vez, num golpe, como que um saco plástico, cheio de pus, sangue pútrido.

3) Abertura de três orifícios debaixo do queixo em portador de câncer na garganta, dos quais escoou grande quantidade de matéria pútrida.

4) Perda de pus pelos dedos das mãos ou dos pés ou do dedão do pé apenas, cicatrizando em seguida, por si, sem auxílio de curativos.

5) Dores generalizadas, sobretudo no ventre, às vezes, nem sempre localizáveis.

6) Não se observou mudança ou reação nenhuma.

Gostaria de frisar que tais indisposições ou desconforto, porém, duram um, dois, três, no máximo, quatro dias, sobrevindo sempre uma sensação de bem-estar, seguida de boa disposição para tudo, tipo convalescença. Importante a atitude diante do fenômeno descrito: não suspender o tratamento. Convença-se que está no caminho certo, isto é, as toxinas encontraram sua natural válvula de escape ou excreção, isto é, saíram. Você encontrou o caminho da cura. Agora é só perseverar, continuar. Suspender o tratamento seria deitar tudo a perder. Sobretudo, em se tratando de câncer, sabe a orientação cabível, já exaustivamente exposta em páginas anteriores.

– Seria possível enumerar efeitos positivos durante o tratamento ou em decorrência dele?

– Não falemos dos casos de cura de câncer, porque tal assunto parece ter sido desenvolvido a contento. Detenhamo-nos em curas efetuadas em pessoas que se aproveitaram do remédio, usando-o como preventivo, já que não se julgavam portadores de câncer. Frise-se que a composição dos elementos e sua quantidade obedeceram à receita comum, já nossa conhecida, como se fosse aplicada a pessoa cancerosa; idem, quanto à posologia. O tratamento curou ou resolveu problemas relacionados com: 1) azia; 2) gastrite; 3) úlcera; 4) olhos remelentos; 5) assaduras; 6) calos; 7) furúnculos na pele; 8) feridinhas no couro cabeludo; 9) caspa; 10) reumatismo; 11) artrite; 12) pólipos nos intestinos; 13) pólipos no útero; 14) estímulo ao apetite; 15) cabelos mais finos e sedosos; 16) regula a menstruação em pessoa que a tivera desregulada desde a adolescência; 17) resolveu problema de quem sofria de suor noturno, inverno e verão; 18) maior desempenho sexual, em pessoa de sexo masculino, na idade de 40 anos; 19) proporcionou mais ar ou fôlego a pessoa asmática; 20) curou paralisia; 21) curou surdez; 22) regulou os intestinos, resolvendo problema de prisão de ventre; 23) eliminou fungos; 24) normalizou colesterol; 25) regulou a pressão; 26) curou pessoa com mal de Parkinson; 27) resolveu problema de calvície; 28) curou sinusite; 29) curou lúpus; 30) curou herpes situado nos rebordos labiais ou na glande ou na vulva; 31) curou psoríase; 32) curou epilepsia; 33) curou pé de atleta; 34) regenerou unha atrofiada, unha que não passava de leve cartilagem. Reforçou as unhas; 35) dispensou cirurgia de próstata em homem que a antevia iminente; 36) evitou operação de bexiga, tomada de câncer; 37) livrou de espinhas renitentes (acne); 38) acabou com catarro de longa época, proporcionando expectoração livre; 39) solucionou problema de má digestão; 40) corrigiu mau hálito; 41) curou úlceras varicosas; 42) curou úlceras na retina; 43) depois de consumir quatro frascos, curou toxoplasmose (vírus do gato) no olho; 44) restaurou o olfato de pessoa que o perdera há anos.

— A babosa sozinha, simplesmente aplicada como planta, cura o quê?

— Frise-se que todas as curas abaixo citadas foram comprovadas por experiência: 1) fungos; 2) pé de atleta; 3) calos (em 24 horas) sem dor; 4) fístula na gengiva, em forma de canal estreito e profundo; 5) mijacão; 6) abcessos; 7) combate à caspa, revigora o couro cabeludo: é tônico capilar; 8) picada de insetos (mosquito, abelha, vespa, aranha, etc.); 9) queimaduras de fogão e outros acidentes domésticos; 10) queimaduras de raios X; 11) pequenos cortes em acidentes domésticos (alto poder cicatrizante); 12) antitétano; 13) eczemas; 14) erisipelas; 15) oftalmia (calor nos olhos); 16) aplicado como supositório, curou hemorroidas; 17) dissolvido em água, serve para congestão do fígado; 18) purifica o ar duma sala poluída pelas toxinas do cigarro; 19) responde bem em casos de anemia; 20) prisão de ventre: regula o intestino; 21) reumatismo; 22) cicatriza úlceras na retina ou qualquer ferida no globo ocular; 23) elimina verruga; 24) eficaz no combate à acne; 25) eficiente no combate aos vermes; 26) dissolvido em água tem curado azia, gastrite, úlceras pépticas; 27) cura feridas de decúbito; 28) absorve quisto cebáceo.

Todas as experiências ou na maioria dos casos citados acima exigem a aplicação tópica da babosa, i.é, no local onde se verifica o problema. Ou usa-se a parte interna da folha, no seu conteúdo gelatinoso, ou tritura-se a folha, coando ou filtrando o farelo da casca e dos espinhos moídos, e se aplica, ou com seringa ou conta-gotas ou embebendo o suco em algodão ou gaze, no local onde se apresenta o problema.

Se o leitor achar que tudo quanto está sendo narrado, como resposta às duas últimas perguntas, é demais, e achar que deve haver exagero, tenha a paciência agora de acompanhar a lista de males que foram curados nos Estados Unidos da América, elencados na p. 40 a 41 de *A cura silenciosa* (um estudo moderno do *Aloe vera*), de Bill C. Coats, R. Ph. com Robert Ahola: "em seus estudos e nas esmeradas crônicas sobre *Aloe vera*, o autor Carol Miller Kent fez uma extensa lista de todas as doenças que o *Aloe vera* tem curado. Eis a lista: um amplo espectro de doenças da pele, incluindo queimaduras térmicas, químicas e de fricção; escaldaduras; queimaduras solares e por raio X; úlceras; pústulas; exantemas; coceiras; abrasões; picadas de vespas, abelhas, mosquitos; plantas venenosas; reações alérgicas; erupções e assaduras de pele das crianças; pele e lábios com rachaduras; caspa; eczema; dermatites; impertigo; ceborreia; psoríase; urticária; feridas no corpo; calor de corpo; câncer de pele; herpes zoster; rachaduras no seio de mães lactantes; unhas encravadas; acne; manchas marrons ou brancas na pele (manchas de fígado ou cloasma, manchas congênitas); fibromas pedunculados; cortes; contusões; lacerações; lesões secas ou úmidas; úlceras crônicas; abcessos; herpes simples (oral e dos lábios); irritações da boca e da garganta; ferimentos de dentadura; gengivites; amigdalite; infecções estafilocócicas; conjuntivites; terçol; úlceras de córnea; cataratas; perfuração infectada do ouvido; pé de atleta; tinha e outros fungos; prurido anal e da vulva; infecções vaginais; feridas venéreas; cãibras musculares; entorses; esquimose; tumores; bursites; tendinites; alopecia (perda de cabelo). Usado internamente, diz-se que o *Aloe vera* alivia a dor de cabeça, insônia, falta de ar, desordens estomacais, indigestão, azia, gastrite, úlcera péptica e duodenal, colite, hemorroidas, infecções urinárias, prostatite, fístulas e cistos inflamados, diabete, hipertensão, reumatismo e artrite, oxiúrios e outros parasitas, corrige a infertilidade causada pela amenorreia e reverte qualquer desequilíbrio causado ou amplificado pelo excesso de ingestão de ácidos e açúcares.

Mesmo um rápido exame da lista nos capacita a incluir algumas doenças como úlceras ventriculares, diverticulite, sedimentos pulmonares, sinusite, monilíase, tricoma, escleroderma, infecção por proteus, piorreia, córnea anuviada e mordida de cobra. Podemos também acrescentar que o *Aloe vera* é um perfeito desodorante, uma excelente loção pós-barba, polidor de metais e efetivo agente preservativo para o verniz de couro e, como se não bastasse, um licor muito saboroso.

Dei-me ao capricho de transcrever esta longa lista do autor americano só porque, no Brasil, um tupiniquim não tem credibilidade; o que é bom mesmo tem que ser estrangeiro, sobretudo americano, japonês, alemão. Dito com outras palavras, santo de casa não faz milagre. E a lista do americano confirma tudo quanto realizamos em matéria de curas, usando sempre a nossa babosa.

– Como chegou à possibilidade de fazer todas estas experiências?

– Posso contar? Espero não ser cansativo demais. Vamos lá. Se a matéria não interessar, passe adiante.

Antes de mais nada, gostaria de colocar bem clara a palavra experiência.

Entendo por experiência, aqui, apenas a oportunidade, diante de caso concreto de pessoa necessitada, doente, e a quem a gente estendeu a mão. Evidente que uma sucessão de fatos cria a experiência, sobretudo para quem observa. Jamais pensei em usar o ser humano como cobaia, a fim de, aproveitando-me de sua situação, aumentar meus conhecimentos. Só quis ajudar.

Nomeado pároco de Pouso Novo, pequena paróquia no interior do Estado do Rio Grande do Sul, na serra gaúcha, a meio caminho entre Lajeado e Soledade, aprendi, pressionado pela necessidade. O pequeno município, recém-emancipado, é banhado por um rio à direita e outro à esquerda, o Fão e o Forqueta, cujas águas acabam despejando-se no Taquari. À margem das duas correntes d'água, nas partes mais acidentadas, há boa porção de terras devolutas ou, como as apelida a população, "Terras do governo", sem certificado de posse nem nada. Para aí acorrem famílias pobres, marginalizadas de outros centros, cada qual com sua história, quase sempre vítimas da ganância dos mais fortes.

Ao lado da fatalidade, da falta de cultura, do desalento, da preguiça – um elo puxa o outro na corrente de misérias –, aninha-se a degradação geral: subnutrição, falta de higiene, falta de escola, analfabetismo (praga que passa de pai para filho, através das gerações, desde o Descobrimento, com levas e mais levas que Portugal exportou para cá, escória da sociedade, sem nunca se preocupar com o destino futuro da colônia, a não ser desfrutá-la ao máximo: só depois da Independência, o Brasil abriu sua primeira universidade). Resultado: pencas de filhos, com piolhos, vermes e outros parasitas, vulneráveis a doenças e epidemias de todo tipo.

Depois de seis meses de observação da realidade constrangedora e sem perspectiva de metamorfose naqueles moldes tradicionais, tomei a iniciativa de acudir aqueles excluídos da sociedade – eles também filhos de Deus! – não apenas com missa mensal por ocasião da visita à capela ou escola, e voltar ao centro e à civilização, deixando-os entregues à própria sina, mas decidi promover, ao lado da parte espiritual, em vista da vida eterna, também os demais valores do homem como habitante deste planeta.

Incapaz de arcar sozinho com a tarefa, recorri a pessoas de boa vontade, pessoas essas igualmente sensíveis ao problema; apenas podendo responder pelo setor de sua responsabilidade, reconheciam-se impotentes diante da complexidade defrontada. Urgia reunir o conjunto das forças: a união das forças vivas, cada qual dando um pouco de si, certamente ajudaria a debelar o mal.

Com pequeno esboço de plano num papelucho, enfiado no bolso do colete, convoquei uma primeira rodada de negociações com os delegados dos setores dos diversos órgãos de representatividade: Paróquia, Secretaria de Educação e Cultura, Secretaria de Trabalho e Ação Social, Legião Brasileira de Assistência, Emater, Prefeitura. Todos os órgãos responderam ao apelo, menos a LBA.

Exposto o plano, antes de dispor-se à execução, com fotocópia debaixo do braço, foi dado espaço de tempo suficiente para que cada elemento o examinasse, submetendo-o a juízo crítico. Discutido numa segunda sessão é que, inserindo emendas, aprovou-se para ser posto em prática. Cada elemento disponível na formação da equipe de trabalho de campo assumiu um assunto específico de sua área ou especialidade e com conhecimento de causa. Era uma equipe que punha em prática o voluntariato, não esperando retribuição material de qualquer espécie, mas tendo, como objetivo último, a promoção total do ser humano, na tentativa de integrá-lo à comunidade.

Em vez de convocar os destinatários da mensagem para a sede, todos os componentes da equipe optaram por deslocar-nos até os interessados, dado seu nível social, um tanto tímidos. Aí foram proferidas as palestras. Todas as comunidades, mais ou menos necessitadas, foram objeto da mensagem, inclusive a matriz, exatamente para não ferir a susceptibilidade dos mais atrasados. A receptividade superou as expectativas.

Na primeira ronda pelas comunidades, desenvolveram-se os seguintes temas do programa traçado:

1º) Deus cria o homem para a felicidade. Deus não quer o sofrimento do homem; antes, é o homem que busca o sofrimento e passa a conviver com ele, por soberba, por ignorância, por ilusão, etc. Na maioria das vezes, está em suas mãos eliminar este sofrimento ou, ao menos, reduzir-lhe as proporções. Para ilustrar as afirmações, foram usados textos bíblicos. O próprio Filho de Deus, feito homem, Jesus Cristo, em sua curta trajetória pelo mundo, esmerou-se em aliviar o sofrimento dos homens de seu tempo. Essa exposição ficou a cargo do pároco. Duração: 10 a 15 minutos, como foi o tempo para os demais assuntos.

2º) A saúde, genericamente, é um dom. Precisamos preservá-la, favorecê-la. De modo geral, nós a prejudicamos, comendo e bebendo de maneira inadequada. Como deve ser uma alimentação bem balanceada? De quais e de quantas vitaminas e proteínas necessita o organismo humano para viver convenientemente e onde deve buscá-las? Exposição de Analice Passaia e Sandra Inês Gheno. Sugeriram fortemente a criação de uma horta e sua praticabilidade. Transformaram o pátio e o terreno da escola em viveiro de mudas, e a secretaria, em centro de distribuição de sementes, de onde cada aluno poderia abastecer-se de mudas e sementes para cultivar a horta familiar. Tudo muito simples. Os alunos, motivados pela novidade na aula, ensinavam e entusiasmavam os pais, em casa, diante do valor do alimento, sua possibilidade de variação e sabor. Consequentemente, reduziu-se o volume de carnes dos diversos tipos, caras, contrapondo-lhes verduras e legumes, mais econômicos e de maior valor nutritivo. Resultado: já nos primeiros seis meses de andamento da experiência, podia-se observar uma cor mais sadia nas crianças, uma disposição maior em tudo quanto se refere à sua idade, além de um desempenho escolar surpreendentemente maior.

3º) Ao lado de uma adequada alimentação é indispensável o cuidado com a higiene, para garantir uma boa saúde. Um primeiro fator é a água. Limpeza regular e sistemática do poço e/ou reservatório. O depósito deve localizar-se do lado de cima das estrebarias, latrina, casa, benfeitorias. Aproveitamento do esterco dos animais para adubar as lavouras. Se não observar estas regras primárias, que doenças podem surgir? Esta exposição, com farto material ilustrativo, didaticamente acessível, coube a Maria Muttoni.

4º) Ameaça para a saúde também são os herbicidas e inseticidas. Aquisição, conservação, manejo correto, bem como a eliminação das embalagens do material usado, foi o tema do pessoal da Emater: Jorge Lavarda, sua esposa Gládis e Carlos Bianchini.

Voltando à base, após a primeira rodada de palestras, feita a revisão do trabalho empreendido, a equipe deu-se por satisfeita com o resultado. Conclusão unânime, porém: o trabalho iniciado não poderá sofrer solução de continuidade. É fundamental, pois, continuar os esclarecimentos. A equipe achava que tinha muito a dar, e os destinatários, muito a receber.

Em casa, trocando ideias entre os participantes, optou-se que o tema para uma segunda etapa seria: "Doenças e respectivas receitas". Os mesmos componentes da equipe dispuseram-se a continuar o trabalho, inclusive, com a visita às comunidades, medida considerada por todos como acertada, já que poucos se teriam deslocado até o centro, se as palestras se tivessem realizado aí.

A equipe resolveu adotar uma dinâmica em que houvesse ou fosse estimulado o intercâmbio de conhecimentos entre a equipe expositora e a assembleia, já que entre os ouvintes, sabia-se, encontravam-se pessoas que conheciam ervas e plantas para chá e as suas finalidades, bem como sua dosagem. O objetivo era, também, no fundo, encorajar as pessoas, naturalmente tímidas, a falar em público. A equipe, na sede, através da bibliografia existente, conferia se a receita recolhida tinha fundamentação científica, como fora enunciado no encontro. Em caso positivo, bem baseada, entrava a fazer parte do arsenal de receitas da equipe. Aprendeu-se muito. Gratificante para todos os participantes da equipe, esta segunda etapa!

Nesta segunda bateria, com "Doenças e respectivas receitas", elencamos uma série de doenças, como câncer, azia, gastrite, úlcera, reumatismo, etc., bem como a maneira de combatê-las, além da guerra aberta contra os parasitas (piolhos, vermes, etc.), espalhados largamente entre as famílias mais abandonadas. Os remédios para combater tais doenças eram buscados exclusivamente nas ervas e plantas da natureza, existentes em abundância na região.

A razão ou fundamento desta opção sobre doenças e a forma de combatê-las explica-se pelo fato de o povo ser muito pobre, tornando a consulta médica muito onerosa, se não proibitiva, para o seu orçamento [sic.], seguindo-se um segundo peso insustentável quando se obrigava a comprar o remédio na farmácia.

Dentro de pouco tempo, somente usando ervas e plantas, conseguimos reduzir em 90% as consultas médicas, encontrando solução doméstica para os sintomas de moléstias mais comuns. Os remédios, desde a corriqueira Aspirina (cuidado com seus efeitos colaterais!), eram "fabricados" pelas famílias em forma de chás, já que tinham aprendido o manuseio das diversas ervas e plantas e seu valor terapêutico.

A transferência do pároco para Israel, em fins de 1990, concretizada em maio de 1991, esvaziou a briosa equipe. Reduzida a dois elementos – Maria Muttoni e Gládis Lavarda – voltou a percorrer a mesma rota, numa terceira etapa, agora com o tema: "Como cuidar de doentes".

A mesma dupla de heroínas voltou à carga, numa quarta etapa, com assunto mais para o consumidor feminino – Arte culinária –, sempre valorizando elementos locais, o aproveitamento de frutas e verduras, sua conservação de uma estação a outra. Estimulou o uso do açúcar mascavo, da farinha de moinhos sem cilindro, do arroz de pilão, biscoitos, broas, rapaduras, massa caseira, valores caídos em desuso, infelizmente, em favor de produtos fabricados, mais vistosos, refinados. Estes, muitas vezes, conservados em prateleira, em vislumbrantes embalagens, com data vencida para o consumo, já com valor nutritivo prejudicial, dado o alto teor de conservantes, sabidamente cancerígenos. Numa palavra, estavam preocupadas em proclamar uma alimentação caseira, mais sadia e mais barata, certamente colaborando na economia da família.

Infelizmente, a situação na paróquia e no município passou por metamorfoses profundas e os percalços fizeram com que os trabalhos não tivessem o natural prosseguimento.

Todo este envolvimento numa paróquia, onde o pároco não pode ser apenas médico das almas, mas deve se interessar também pelos corpos, ocasionou-me armazenar vasto cabedal de experiência, não apenas com a babosa, mas também com outras ervas e plantas, material que levou alívio àquela população carente.

– O Sr. teria alguma observação a mais sobre a babosa, algum conselho que talvez valesse a pena ressaltar?

– Naturalmente, é impossível esgotar o assunto sobre a babosa em poucas páginas. Porém, alguns pontos podem ainda constar, sem correr o perigo de ser prolixo; são pontos que reputo importante frisá-los. Vamos a alguns deles:

1º) A babosa sempre vai ao encontro do organismo necessitado; nunca o ataca, agride ou fere, destruindo-lhe células, como faz, por exemplo, a quimioterapia. A babosa é sua amiga e companheira. Mais. É sua aliada no combate ao mal. Se, às vezes, observam-se efeitos que dão a impressão do contrário, pode ter certeza que, continuando o tratamento, logo mais, você constatará que ela "agiu duro", como o médico que corta para o bem do paciente ou do pai que castiga o filho com o objetivo de alcançar seu benefício futuro. A babosa reconstitui o organismo doente, em vez de destruí-lo. Realiza uma faxina sobre os elementos tóxicos;

ao final da operação, reabastece o organismo com elementos necessários à sua manutenção. Exemplo: uma senhora, desde todo sempre, convivera com problema de desarranjo. Evidentemente, causado por desordens na flora microbiana intestinal, problema apresentado aos médicos e sempre mantido insolúvel. Como soubesse que a babosa pode causar diarreia (Que bom! Estamos no caminho da cura!), preveni-a da possibilidade de suceder o fenômeno, garantindo-lhe, porém, que a reação desagradável (à primeira vista) se registraria por um período de dois ou três dias. E assim aconteceu. E uma vez por todas, a mulher teve resolvido seu incômodo. Idêntico problema aflorou como resposta a problema que apresentava menstruação irregular, regulando-a de vez. Assim acontece, regulando a pressão, eliminando corpos estranhos depositados no organismo, normalizando, por exemplo, o colesterol e outras disfunções.

2º) Macerar ou submeter as folhas da babosa a baixas ou a altas temperaturas, reduzi-las a pó ou destilá-las, é limitar as propriedades medicinais da planta. Colha as folhas sempre que delas precisar; não as armazene por longo tempo em geladeira ou se utilize de outras formas de conservação. Dirija-se à natureza sempre que dela precisar, e ela responderá à altura de suas necessidades. Prepare sua poção em casa, tranquilamente; somente recorra a produtos industrializados quando houver certeza absoluta de confiabilidade. Não esqueça o fator econômico: preparar em casa ajuda na sua economia...

3º) Evite enviar as folhas para outras regiões ou continentes. Deus colocou propriedades medicinais e que deverão responder a necessidades particulares ao local, povo e animais que forem servir-se das plantas e ervas, num tratamento personalizado. Assim sendo, acredito que um mesmo tipo de babosa, desenvolvido na Palestina, Israel, Nordeste brasileiro, no Sul do Brasil, no solo ao longo do Mediterrâneo, na Argentina, no México, no coração da África, certamente apresentará pequenas, mas significativas particularidades, típicas à região, sem alterar a essência da planta. Assim, a vaca, da mesma raça, criada no pampa ou na Holanda ou na Austrália, produzirá leite idêntico. Analisando o produto, haverá pequenas nuanças, explicáveis pela diferente alimentação, clima, água e outros fatores, permanecendo, é claro, sempre leite. É certo que o clima, a qualidade do solo, o comportamento atmosférico da região ajudam a imprimir à planta algum particularismo, sem danos à sua essência, para ajudar os habitantes da região.

4º) Convém que a pessoa portadora de câncer, durante os dias em que estiver tomando a poção de babosa, evite alimentar-se de carne de qualquer espécie, bem como de derivados de animal. A razão é simples. O câncer vegeta, vive como parasita, em seres dotados de carne. Digamos que o medicamento lhe fizesse os efeitos que determinada iguaria estragada ou vencida fizesse ao nosso estômago. A pessoa, que o aloja dentro de si, "tem a bondade" de socorrê-lo em sua indisposição ou mal-estar, legando-lhe lenitivo! Mas você não se tinha determinado a acabar com o maldito parasita?! Incontinenti, surge a pergunta do enfermo:

— O que comer, então? Logo agora que estou fraco, vem me tirar a carne de dentro do prato, o alimento principal? Vou ter que morrer de fome?

— Absolutamente. A carne não é essencial à vida humana, nem mesmo ao anêmico.

— Observando ligeiramente nossa arcada dentária, conclui-se que o homem somente possui dois caninos em cada maxilar (com que estraçalha a carne) que separam quatro dentes incisivos (para cortar folhas e frutas), quatro pré-molares e seis molares (para moer ou triturar grãos e raízes, etc.). Se o homem necessitasse tanto de carne, certamente Deus lhe teria providenciado mais caninos para rasgar as fibras da carne. Cereais (grãos), frutas, verduras, legumes substituem a carne, com vantagens, para a saúde dos seres humanos. Além de serem digeridos com mais facilidade, são mais econômicos.

5º) Já quase foi dito, mas, para ficar mais claro, penso que vale a pena insistir ou bater novamente na tecla, explicitando melhor o assunto. Fugir da droga, do fumo, do álcool, como o diabo foge da cruz, seria medida necessária para a nossa saúde. Argumenta-se que o fumo e o álcool, com a venda livre, trazem divisas para os cofres públicos, via imposto arrecadado. Digamos que o governo federal recolhesse, em números redondos, quatro bilhões de reais em imposto em cima do fumo e álcool. Está provado, preto no branco, que as despesas do governo somente com doenças causadas pelo fumo e álcool somam exatamente o dobro dessa cifra. E não recupera os danos, apenas lhes presta socorro. Imagine se um dia vier a ser liberado o comércio da droga! Mais. Os consumidores de álcool, fumo e droga herdam sequelas irreversíveis, lesões que nem Deus repõe. Zelar para que os alimentos, especialmente legumes, frutas e verduras, sejam produzidos sem herbicidas, inseticidas, adubos químicos, mesmo que percam quanto ao visual. Evitar bebidas e refrigerantes à base de conservantes (por que não preparar uma limonada, uma batida de fruta ou legume, em lugar do já tradicional refrigerante?), sabidamente cancerígenos. Apoiar e promover campanhas de esclarecimento em vista de uma qualidade de ar mais puro: fazer trabalho de conscientização para que as indústrias que poluem o ar usem filtros. Insistir para que se produzam carros e outras utilidades com o mínimo de poluição (a técnica estaria em condições de produzir automóvel, com licença das sete irmãs, que não polui!). Contribuir para que cheguemos a introduzir hábitos alimentares sadios, esclarecendo a opinião pública, usando os meios de comunicação social, acionando desde o indivíduo, a sociedade, e até o governo, a fim de atingir todo mundo. Convém colaborar com a saúde de todos os homens. Aqui também vale: "Melhor prevenir do que remediar"! De pouco valeria providenciar uma limpeza total do organismo se, amanhã ou depois, você voltasse a intoxicá-lo: seria como a política de "limpar chiqueiro"...

– Por que sua obsessão para divulgar esta receita?

– 1) Antes de mais nada, existe o lado humano que fala alto.

Quis o destino que assistisse aos últimos dias de meu pai. Gritava de dor como berra um animal ferido, vítima de tumor no pulmão (fumante desde a idade de 14 anos), sem poder receber qualquer tipo de lenitivo às suas dores. Diante daquela angústia e impotência, me perguntava:

– Mas como é possível entender uma situação dessas, com todos os progressos da ciência moderna? Não se consegue descobrir remédio para essa terrível doença que arrasta inexoravelmente suas vítimas para a morte?!...

E meu pai, embora tivesse apenas 63 anos, tivera preanunciada a morte, dada sua moléstia pulmonar. Homem forte, bem conservado, não tendo sido portador de nenhuma doença até então, como todos os demais atingidos por esse mal, veio a falecer exatamente oito meses após o diagnóstico do câncer.

No meu interior em convulsão procurei encontrar resposta àquele mistério insondável. Retumbava em mim um trovão longínquo: deve haver um animal, uma planta, um mineral em nossa natureza que possa resolver este impasse! É preciso que haja algo que alivie as dores de tantos doentes.

Felizmente, cerca de dez anos depois daquela perda, obtive resposta à minha angustiante pergunta. O conteúdo da resposta é assunto deste livro, partilhado com os leitores envolvidos em possível tragédia semelhante à minha. Para muitos serviu de alívio à dor.

2) Porque o sistema brasileiro de saúde, dada a inoperância da Previdência, encontra-se falido e sucateado.

3) Porque a medicina oficial alcançou padrões inacessíveis a mais de 80% da população, achincalhada, em seu salário, vexame mundial. Não existe maneira para tratar da saúde, porque o salário nem dá para matar a fome. Cuidar da saúde virou luxo; assunto saúde está riscado do rol das necessidades básicas.

4) Não há dinheiro que pague o preço de uma vida, onde for e de quem quer que seja. Salvar uma vida ou prolongá-la, proporcionando-lhe melhores condições, causa fascínio, desperta como que um êxtase. Foi o que experimentei naquele domingo à tarde quando, de Cruz Alta,

me telefona a mãe da moça que, portadora de lúpus, depois de apenas três semanas de tratamento, consegue livrar-se da doença, segundo seu dermatologista, de Ijuí, considerada incurável e que, portanto, a jovem, segundo o presságio, se habituasse a conviver com o problema até o fim de seus dias... Só imagino o clima de justa alegria e felicidade que invadiu aquela família!... Clima idêntico, tenho certeza, milhares de famílias puderam gozá-lo, graças a essa receita, ingênua, barata e, em tantos casos, eficiente.

5) O doente que salvei, misteriosamente, torna-se o filho que não tive, o filho a que renunciei em pleno uso da razão, a fim de pôr o tempo todo e as energias a serviço do Reino de Deus e dos irmãos, sejam eles cristãos, muçulmanos, judeus, budistas, homens ou mulheres, jovens ou velhos, pretos ou brancos, ricos ou pobres. Acima de tais acidentes, o que importa é que se trata de seres humanos, todos eles criados à imagem e semelhança de Deus, com direito a uma vida *digna* e sadia. São criaturas às quais Deus reserva todo o seu amor. Se, muitas vezes, grande parte delas não tem acesso àquilo que é essencial à vida, nem no mínimo necessário, impedidas que estão de se achegarem à fatia do bolo, não é culpa de Deus ou porque seu plano não foi adequado; deve-se à ganância e ao egoísmo dos mais fortes e espertos, que exploram e sugam, com prepotência, os mais fracos e indefesos. Puxa!, a gente corre o risco de blasfemar: por que Deus, que tudo pode, não acaba com essa raça de malvados?!

6) Na verdade, experimentando os maravilhosos efeitos da fórmula em diversos doentes que tinham seguido, exaustivamente, conselhos médicos, sem nenhum alívio e cujo destino seria a morte próxima, comecei a acreditar nela, e daí partir para a plataforma de lançamento, numa quase obstinação para difundi-la, sobretudo diante de sua eficiência face a problemas tidos como insolúveis para a medicina ortodoxa, foi apenas um passo. Fruto disso, o presente livrinho, modesto como ele só, mas espero que possa ser útil a alguma pessoa em aperto ou sem saída.

7) Gozei do privilégio de constatar resultados concretos com meus próprios olhos, confirmados por familiares dos pacientes e, sobretudo, atestados por exames médicos, resposta certa ao final do problema, dado como causa perdida, se fossem percorridos os caminhos ordinários.

Compreende-se agora essa minha mania de correr países, cidades e falar para as pessoas ou atingi-las pelo rádio ou pela TV, sem ganhar nada? Nenhum mistério! Tudo muito simples, tão simples como água que corre para baixo: é que tudo isso pode salvar vidas...

– Quais os países que mais estudaram a babosa como planta que pode curar?

– Penso que os Estados Unidos e, ao lado, a Rússia, estão muito à frente nesta corrida. Segue-se o Japão. Aliás, os japoneses, vitimados pela explosão de duas bombas atômicas, há 5 décadas, usaram largamente a babosa para acudir as vítimas da radioatividade produzida por aqueles diabólicos artefatos. E a babosa respondeu muito bem. É tão verdade que, hoje em dia, pessoas que visitaram aquele país me garantem ter observado muitas casas e apartamentos com seu pé de babosa em vaso, já que ela passa como a "planta que cura tudo". Alemanha, Suíça, Itália, entre outros, dispõem muito da homeopatia, inclusive usando a babosa. Há uma corrida geral, nos laboratórios onde dissecam a planta, para descobrir novas facetas dela, e sempre há surpresas, já que sua riqueza é incomensurável...

– Como a babosa nem sempre dá resultado 100% como tratamento contra o câncer, descartada a medicina ortodoxa, conhece outras formas alternativas para combater tal doença?

– Como a babosa nem sempre cura o câncer, em minhas andanças tenho conhecido, sim, outras formas de tratamento da doença. Eis algumas:

1) Avelós (Aveloz): planta da família das euforbiáceas (nome científico: *Euphorbia tirucallis*), originária da África, cultivada no Brasil, principalmente no N.E. (cf. *Novo Dicionário Aurélio*, 1ª edição). Divulgador da planta e curado por ela de uma fístula pleural, Pe. Raymundo C. Weizenmann, SJ, é considerado autoridade na aplicação do medi-

camento. Para maiores informações, dirija-se à Livraria Pe. Reus, Duque de Caxias, 805 - fone: 224-1352 - Porto Alegre, RS.

2) Maçã: em Tel-Aviv, Israel, há um rabino que trata pessoas com câncer, aconselhando-as a se alimentarem exclusivamente de maçã. Outrora, havia lido em velho manual de saúde que, comendo x-maçãs por y-tempo, ocorreria mudança completa do sangue. Uma realidade tem a ver com a outra?

3) Mel: usar e abusar do mel e de própolis, especialmente em jejum, pelo seu poder cicatrizante e conservante.

4) Água: Dr. Aldo Alessiani (Via Giacomo Ferretti, 12 - Roma, Itália - fone: (00396) 82-4266), aplica um preparado à base de água. Prefere tratar casos de câncer em fase terminal. Pessoalmente, creio que, com a evolução da homeopatia, dentro de não muito tempo, curar-se-ão doenças, até as mais graves, apenas com o uso da água como matéria-prima. Aguardemos.

5) *Macherium*: extraído de nosso angico, e "Áspidos", extraído de pau-pereira, duas árvores brasileiras tidas como anticancerígenas. O pau-pereira "é cego como a quimioterapia", aplicada pela medicina tradicional como terapia contra o câncer: Áspidos vai eliminando as células mortas e doentes, atacando, em seguida, também as sadias.

Igual à quimioterapia. Entra o *Macherium*, que agirá como tentativa de neutralizar e reconstruir o "desastre ecológico" produzido por seu colega Áspidos. O mérito desse tratamento deve-se a Sílvio Rossi (Via Moncrivello, 04-10041 - Carignano - Turim, Itália - fone: (011)969-3285).

6) Urina: a matéria-prima é sua própria urina. Os divulgadores da urinoterapia garantem que o método cura câncer em três semanas. O mesmo serviria para "curar" Aids.

7) Carne de cascavel: método aprendido dos indígenas. Irrita-se o animal até ao ponto em que está pronto para dar o bote, momento em que o veneno estaria espalhado equilibradamente em todo o corpo. Nesse momento sacrifica-o. Decepadas cauda e cabeça, a carne é sapecada ao fogo lento. Esfarelada, coloca-se em cápsulas como as de antibiótico. Antes das três principais refeições o doente ingere um comprimido. No México, pode-se comprar cápsula de carne de cascavel nas casas de produtos naturais, ao lado de ervas e chás.

8) Oleandro ou espirradeira: colhi esta receita da boca de uma senhora palestina que mora na Jordânia. Em retalhos de inglês, francês e árabe, consegui colher sua receita: ferver três a quatro folhas em um litro d'água durante uns 15 minutos. Do decocto tomam-se duas colheres, das de sopa, antes das refeições.

9) Ipê-roxo: há alguns anos apareceu como a árvore salvadora. Na prática, o princípio ativo contra o câncer é reduzido em sua casca e, além disso, somente se encontra em casca de árvore adulta, de seus 50 anos de vida.

10) Barro não contaminado por agrotóxicos; aplicado no local doente, extrai muitos males de dentro do organismo, inclusive o câncer.

11) Muçurum: é planta ornamental cor de sangue. Faz-se o chá de uma folha numa xícara d'água. Toma-se o chá. Se o câncer for externo, aplica-se a folha fervida onde se localiza o mal.

12) Vitamina C: Paul Huber desenvolveu um produto vendido em cápsulas, à base de vitamina C, droga que tem curado casos de câncer. Endereço: Fazenda Holandesa II - Rodovia Raposo Távares, Km 256 - Caixa Postal 400 – CEP: 18725-000 Parapanema, SP - fone: (0147)58-1121.

13) Pó (farinha) da barbatana de tubarão.

14) Urtigão.

15) Bioenergética.

16) Cal e azeite.

17) O antineoplasto, do Dr. Burzynski. Cf. *Manchete*, 19/07/97.

18. O coquetel do Dr. Luigi di Bella, método que reforça o sistema imunológico, o mesmo que realiza a babosa, só que esta não apresenta nenhum efeito colateral negativo.

Gostaria de frisar bem que nenhum dos métodos acima citados foram por mim submetidos a teste. Minha experiência maior mesmo é com a babosa, por se tratar de um nutriente para o organismo.

Nota Bene: acima citamos alguns tratamentos contra o câncer baseados no mundo exterior. O homem, porém, deve buscar dentro de si mesmo (corpo, mente, espírito) o remédio para seus males. Se bem explorado o potencial de sua natureza toda, obterá resposta para todo e qualquer problema de saúde.

Toda planta apresenta maior ou menor grau de toxicidade. No caso específico da babosa, o F.D.A. (Federal Drug Administration), órgão governamental que controla remédios e alimentos, nos Estados Unidos, antes de liberá-los para o consumo do público, declarou-a planta absolutamente segura.

7 INTERNACIONALIZAÇÃO DA FÓRMULA

No Brasil, as chances de divulgar a fórmula, colhida em Rio Grande, foram limitadas. Sempre que pude fazê-lo, realizou-se verbalmente ou por correspondência, atingindo indivíduos. Apenas numa oportunidade tive acesso ao programa de Heron de Oliveira, ao vivo, na Rádio Independente, de Lajeado. Tão modesta divulgação repercutiu no Rio Grande do Sul, Santa Catarina, Paraná, São Paulo e Minas Gerais, mas em âmbito muitíssimo reduzido.

A fórmula brasileira do preparado com babosa, mel e bebida destilada teve alcance internacional, partindo do território de Israel, onde eu passara a viver e trabalhar desde maio de 1991.

Verdadeiro trampolim para a internacionalização da fórmula aconteceu, quase três anos depois, após uma sucessão de curas naquele país, sempre num contato corpo a corpo.

Em âmbito internacional, a fórmula teve iniciada sua divulgação em novembro-dezembro de 1993, através de uma reportagem publicada na revista *Terra Santa*, editada em italiano, espanhol (com suplemento português), francês, inglês e árabe, numa síntese realizada pelo Pe. Frei Dario Pili, OFM, beneficiado por essa fórmula, operado no Hospital Frei Agostinho Gemelli (onde operou-se o Papa João Paulo II em diversas oportunidades), de Roma, de tumor na garganta, e segundo os exames médicos, perfeitamente curado, matéria assinada por Frei Vittorio Bosello, OFM. Obtidos os benefícios do preparado e atribuindo-lhes a cura, redigiu uma introdução muito simpática. Essa introdução serviu de matéria às revistas irmãs.

A receita correu os cinco continentes como rastilho de pólvora. A notícia foi divulgada por outros jornais e revistas, dada a sua sensação, uma vez que proclamava, em alto e bom som, que o ingênuo preparado poderia curar câncer e outros males, tudo comprovado por fatos.

Seguem alguns testemunhos de curas.

• Meu serviço, de quatro anos, prestados na Custódia da Terra Santa, em Israel, iniciou a 7 de maio de 1991. O país, ilha hebraica entre árabes e muçulmanos, ainda cheirava a pólvora, no conflito sustentado contra as pretensões de Saddan Hussein sobre o Kweit, conflito que passou para a história com o nome de "Guerra do Golfo".

Os superiores, depois de um mês de adaptação, decidiram pela minha primeira nomeação, a saber, o Santo Sepulcro, o santuário cristão mais importante do mundo, já que aí aconteceu o fato histórico da ressurreição de Jesus Cristo dentre os mortos. As levas de peregrinos, devido à Guerra do Golfo, ficaram reduzidas ao mínimo. Em época normal, porém, afluem turistas, peregrinos e sacerdotes do Ocidente cristão que sonham em celebrar naquele santuário, ao menos uma vez na vida.

Os três frades sacristães não dão conta do recado quando a afluência de peregrinos é normal. Auxiliam-se de um jovem árabe que atende pelo nome de Issa. Imediatamente após o afluxo de gente, observei que o rapaz desaparece da sacristia e desloca-se até o Hospital Árabe de Jerusalém, a fim de submeter-se a aplicações não sei de que gênero. Os confrades me inteiram que o moço tem os dias contados: sofre de linfoma ganglionar. Aproveitando os vários casos de sucesso com a babosa, ofereci meus préstimos para salvar o jovem árabe. Pois o rapaz está vivo até hoje. Os médicos é que não entendem; aliás, ninguém entende. O moço vive sua bela juventude e continua em seu posto, feliz da vida, atendendo os peregrinos que acorrem ao Santo Sepulcro, pedindo o privilégio de aí celebrar uma missa ou dela participar. Endereço: Convento del Santo Sepolcro - P. O.B. 186-91.001 - Jerusalém, Israel - fone: 009226273314.

• O segundo caso que acudi, seguindo a ordem cronológica, foi o do secretário da Escola da Terra Santa, de Belém, Israel.

É que no dia 31/08/91 os superiores houveram por bem transferir-me do Santo Sepulcro, Jerusalém, para o Berço de Jesus, Belém, e aí prestar meus serviços como orientador dos estudantes de filosofia e professor de latim. Foi nesta comunidade que encontrei o diretor da escola em verdadeiros apuros, com seu secretário em maus lençóis. Claro que, espontaneamente, ofereci meus préstimos. E deu no que deu, ou seja, a cura total do secretário, que vive até nossos dias. Endereço: Terra Santa College - P.O.B. 92 – Belém, Israel - fone: (02) 74 22 37 ou 74 15 09.

- Certa vez recebi uma carta do Pe. Alviero Niccaci, OFM, diretor do "Pontificale Athenaeum Antonianum" (de Roma), em sua filial "Studium Biblicum Franciscanum", de Jerusalém, na qual me informava que o Pe. Thomas, seu estudante indiano, fora operado de tumor no cérebro, no Hospital Hadassa. Prosseguiu com infecções misteriosas, do que resultaram enormes tumores na cabeça e no pescoço, excretando pus e exalando odores fétidos que faziam com que realizasse as refeições separado da comunidade. É evidente que preparei a dose, segundo a fórmula. Para encurtar, o Pe. Thomas, um indiano cor-de-bronze, conseguiu fazer os exames do ano letivo e voltou para a sua Índia em perfeita saúde. Endereço: Studium Biblicum Franciscanum - Via Dolorosa - P.O.B. 19424 - 91193 - Jerusalém, Israel - fone: 00972.2.282936 ou 2.628.0271 - fax: 00972.2.626.4519.

Teria muito gosto em transcrever na íntegra a carta no seu original. Você experimentaria toda a solicitude e preocupação do diretor para com seu discípulo. "Por favor, ajude-nos, se puder..."

• Irmã Muna, libanesa, das Irmãs de São José, é diretora da Escola da Terra Santa, de Jerusalém, para moças. De um dia para outro, submeteram-na à operação de um ovário. Nem dois meses depois, extirparam-lhe o segundo. Não se completaram outros dois meses, os mesmos médicos do Hospital Hadassa, um dos mais bem aparelhados de Israel, localizaram enorme câncer no útero da religiosa. Segundo familiares, teria 15 dias de vida. Fui solicitado para intervir com a babosa. Isso aconteceu em 92. Acredite se quiser, mas a Irmã vive até hoje. Sistematicamente controla-se no mesmo hospital. Os médicos afirmam que ela está curada, segundo os exames. Não sabem explicar como essa mulher tenha escapado com vida e voltado a trabalhar, reassumindo sua função de diretora do Colégio. Endereço: École Secondaire de Terre Sainte - Srs. de St. Joseph de l'Apparition - Jaffa Gate - P.O.B. 14116 - 91140 - Jerusalém, Israel - fone: (02) 28 35 27.

• Irmã Míriam, natural de Belém, Palestina, Franciscana Missionária de Maria, aborda-me, preocupada com seu sobrinho, senhor de menos de 50 anos, acometido de câncer na garganta, operado (cirurgia que durou doze horas), com outros três colegas palestinos, no Hospital de Hadassa. Ela implorava que eu salvasse o homem, já que tinha filhos pequenos para criar. O agravante nele é que não engolia. "Bolei" uma forma para fazê-lo ingerir o preparado, única maneira de salvar aquela vida: depois de batido, filtrei o creme, a fim de que o farelinho da folha não entupisse a cânula da sonda, através da qual se alimentava. Assim consumiu vários frascos. Final feliz: o sobrinho da religiosa deslocou-se até a Jordânia, onde gerencia propriedades! Leva vida normal. Seus três colegas, que sofreram operação na garganta, no hospital dos judeus, sem ingerir a babosa, foram para a outra vida, um depois do outro. Irmã Míriam mora na Casa di S. Giuseppe, um santuário anexo à Grotta del Latte - fone: (02) 74 38 67.

• Irmã Margarida, italiana, das Irmãs Franciscanas do Coração Imaculado de Maria, foi surpreendida com tumor de mamas. Tratou-se no Hospital Italiano de Haifa, Israel. Informado sobre o problema, ofereci-me para prepararar-lhe o medicamento. Ela tomou. Sentiu-se tão bem que voltou logo para seu posto de trabalho. Acontece que não se acompanhou mais com exames médicos para controle. Dirigia-se pelo "sentir-se bem". E voltou a trabalhar como sempre fizera. No seu interior, porém, o mal agia. Um belo dia o câncer manifestou-se novamente. Nem um ano depois, rendeu sua alma a Deus. Faltou-lhe acompanhamento e análise dos exames médicos, ao lado de novo frasco da poção. Sem controle, o câncer voltou com maior violência e fez mais uma de seus milhares de vítimas. Endereço: Scuola Interna "Maria Bambina" - Suore Francescane del C.I.M. - St. Francis Street, 13 - P.O.B. 14017 - 91140 - Jerusalém, Israel - fone: (02) 28 28 23. Irmã Margarida é o exemplo mais eloquente de que a pessoa com câncer precisa se controlar e fazer tratamento, ou...

• À sombra da Basílica da Natividade, em Belém, Israel, uma senhora ortodoxa, de seus 40 e poucos anos, mãe de família, jazia na cama, sem poder mover-se. Causa: câncer de coluna. Solicitaram meus préstimos. Tomou a babosa por uma semana. Ergueu-se da cama e voltou a suas atividades domésticas, recusando-se, não se sabe por que cargas d'água, a continuar com a poção. Não deu outra: uns quatro meses depois falecia. Aqui, evidentemente, como no caso de Irmã Margarida, faltou continuidade, perseverança. Mas... há pessoas que querem morrer. Nesse caso, não há remédio que cure. Em tais situações o procedimento seria acompanhamento psicológico para reverter o quadro, ou seja, despertar novamente a pessoa para o sentido de novos valores da vida. Assim poderia acontecer a cura.

• À sombra da Igreja do Sagrado Coração, administrada pelos beneméritos Padres Salesianos, em Belém, Israel, uma senhora, ainda jovem, fora operada no Hospital Hadassa. Complicações várias fizeram com que ficasse, por mais de um mês, sem poder evacuar. Recorreram ao nosso preparado. Após quatro dias de tratamento voltou a evacuar. A babosa é laxativo poderoso. Regula o intestino.

• O primo de Frei Toufic, libanês, meu clérigo, estudante de filosofia em Belém, 20 anos, jazia na cama, na casa dos pais. Motivo: câncer de coluna. Conseguia sentar na cama, se auxiliado pelos familiares, permanecendo na posição por não mais de cinco minutos. O primo frade, indo em férias, no fim do ano letivo, levou na bagagem um frasco de babosa, já pronto para o consumo, na esperança de recuperar o primo querido. Foi a conta. O moço, terminado o conteúdo do frasco, ergueu-se do leito e foi visitar os amigos e parentes, reassumindo, em seguida, suas atividades.

• Na Jordânia, um moço com câncer no rosto – todo deformado por aplicações que recebia regularmente nos Estados Unidos – com três doses do nosso preparado – conseguido pelas Irmãs de Santa Dorotea, do Seminário do Patriarcado Latino de Betjala, arredores de Belém – ficou curado, dispensando, daí em diante, as dispendiosas viagens ao exterior.

• No enorme convento de São Salvador, sede da Custódia da Terra Santa, trabalhava, como eletricista, pau para toda obra, um senhor chamado André, nascido na ex-Iugoslávia, casado com uma árabe. Depois de ter prestado relevantes serviços ao convento por anos, e sempre naquela habitual competência, os frades foram obrigados a dispensá-lo, contra a vontade, uma vez que se constatou câncer de próstata, doença que o derrubou. Os médicos intervieram várias vezes. Na derradeira, até retiraram-lhe os testículos ("para alegria de algum gato", brinca André), a fim de evitar que o mal se propagasse pelo sistema linfático do organismo, o que precipitaria o fim. André ficou à mercê de cadeira de rodas durante seis meses, dependendo, em tudo, da esposa e dos amigos. A essa altura Frei Luís Garcia – administrador do convento, com quem mantivera relacionamento mais frequente, dadas as funções de ambos que se assemelhavam – movido pela cura de seu confrade espanhol Frei Carlos, de tumor na cabeça – depois de ter sido sacramentado e tendo sido nomeado seu sucessor – pediu-me um frasco do "milagroso" preparado para seu amigo André. O resultado foi o melhor que se poderia imaginar: André ficou completamente curado. Como os frades haviam contratado os serviços de outro profissional, jamais lhes passando pela cabeça que o doente viesse a se restabelecer, acabaram perdendo André para as Irmãs de São Vicente, que, conhecendo os seus ótimos serviços e achando aquele profissional disponível, nem pestanejaram para contratá-lo. André trabalha com a comunidade das Irmãs, ao lado da Jaffa Street, em Jerusalém, e não querem trocá-lo por ninguém. Endereço: André Serna - 41, Bar

Cokhva - French Hill - Jerusalém - fone: (02) 82 05 07. Endereço do Convento São Salvador: St. Saviour's Monastery - P.O.B. 186 - Jerusalém - 91001 - Israel - fone: (02) 28 23 54 ou 27 31 11 - 12 - 13.

• Um dos casos mais conhecidos, divulgado pela revista *Terra Santa*, que atingiu o mundo todo, certamente foi o de Geraldito, o garoto argentino que voltou à pátria curado de leucemia após gorado transplante de medula realizado na Espanha. Hoje leva vida normal. Endereço dos pais de Geraldito: Juan Carlos e Alicia Hrubik - Aviador Chavez, 2653 - 1684 - El Palomar - Buenos Aires, Argentina.

Tenho uma quase "fotocópia" de Geraldito, nos arredores de Nazaré, Israel. Trata-se de Seliman (Salomão), também atacado de leucemia. Segundo os médicos, deveria fazer transplante de medula, mas não se encontrou doador, embora tenha dois irmãos; ambos, porém, incompatíveis. O pai, médico, aproveitando de seu largo relacionamento com a classe, publicou anúncios, requisitando doadores até nos Estados Unidos. Conhecendo o caso de Geraldito, provoquei Maria, a mãe de Seliman, e dizia "torcer, a fim de que não encontrassem doador", uma vez que, se usasse o preparado de babosa, mel e bebida destilada, dispensá-lo-ia. O menino começou a tomar nosso preparado, há mais de três anos. Não perdeu as aulas. Passou de ano sempre. Antes de a família partir em férias pela Itália, no fim de mais um ano letivo, Dona Maria me telefona, feliz, garantindo-me que seu filho encerrou o ano como o primeiro da classe. Desejando-lhe boas férias e feliz retorno, continuei a desejar que não encontrassem doador. Se tomada regularmente, de tempos em tempos, a babosa garantirá a saúde do garoto. O telefone de Maria, Seliman (Família Heibi) é 04 94 57 64, prefixo de Israel.

• Saindo de Israel e arredores, busquemos outros casos de cura. Um telefonema de Bankok, Tailândia, me informa que o padre salesiano Dom Personini, de Bérgamo, Itália, mas missionário naquele país asiático, ordenou a preparação da babosa para a senhora sua mãe, seguindo o que lera na revista *Terra Santa*, último número de 1993, novembro-dezembro. Resultado: sua mãe conseguiu curar-se. Seu entusiasmo pela babosa é tal que enviou pessoa de sua confiança a Belém, Israel, para identificar bem a planta e levar o remédio, já pronto, para o consumo de garoto que sofre de leucemia. Tal receita da revista foi transmitida a Bérgamo pelo Pe. Personini à sua mana, que tomava conta da mãe enferma. O resultado final consta como foi relatado acima, narrado em correspondência enviada a Belém. Poucas semanas depois, chega a Belém um confrade salesiano que estudara no Instituto Teológico Internacional, de Cremisan, tendo a viagem financiada pela família interessada de Bangkok, envolta com o problema de filho acometido de leucemia. Viajara 15 mil quilômetros para aprender a preparar a poção e levar várias doses, já preparadas, em sua bagagem. De lá, como o sacerdote mantém atividades apostólicas na Coreia, garantiu-me que levaria o "segredo" àquele país... Na volta, tocando a Europa, deu uma esticadinha até a casa da mãe do confrade, já plenamente recuperada, em Bérgamo.

• Através da redação da revista *La Terre Sainte* recebo carta, em francês, na qual me informam que uma menina, Alla, é vítima de radioatividade de Chernobyl. Em apenas um mês de tratamento com nosso preparado, a garota voltou para Kiev, Ucrânia, perfeitamente curada. Alla tem doze anos. Curioso o caminho percorrido para a cura atingir Alla: um oncólogo de Moscou, Rússia, enviou carta à França, onde se encontrava Alla em férias, pedindo para que a garota se submetesse ao tratamento, usando a "fórmula de Frei Romano Zago". Donde terá tomado conhecimento desta receita aquele oncólogo? Terá aplicado a fórmula a outras vítimas de radioatividade? Por que não aplicá-la a todas as vítimas de Chernobyl?!

• Rosita Gerardini, do Cantão de Ticino, na Suíça, com três meses de vida, segundo seus médicos, estava com câncer no fígado, no pâncreas e na vesícula. Segundo previsão dos médicos, teria, no final da doença, dores terríveis, de ninguém poder ficar por perto, tais os gritos. Tomou diversos frascos. Dispensou todo e qualquer tipo de analgésico.

Não ingeriu nenhum tipo de remédio químico. Apagou-se, aos 80 anos, sem a mínima dor, consciente e lúcida, como vela que chega ao fim.

• O arcebispo de Belgrado – escreve Josephine, da Suíça, Minusio, Via delle Vigne, 8, Bellinzona, com Lugano, capital de Ticino, Cantão italiano – devido a câncer no cérebro, não conseguia sequer assinar os cartões de boas festas. Agora, tratado com a poção da babosa, deixou o hospital, transferindo-se para uma casa de sacerdotes anciãos. Recuperado da cegueira, já lê jornal. As informações Josephine as recebe em carta do próprio punho do prelado.

• As Irmãs contemplativas do Monastère Notre-Dame de l'Assomption, de Beth Gemal, nos arredores de Betshemesh, Israel, segundo testemunho da Irmã Isabelle, sempre tiveram sorte total com os frascos enviados para a França e para a Bélgica, donde a maioria delas procede. As doses todas resultaram em 100%.

• Irmã Lisette, da igreja de Santana, de Jerusalém, visitou-me especialmente para agradecer a cura do missionário holandês Van Ass, dos Padres Brancos, com câncer no fígado. Com previsão de três meses de vida, segundo seu médico, abandonara sua missão, na África, para morrer na Holanda, sua pátria, proporcionando-lhe chance de usufruir dos recursos que país do Primeiro Mundo oferece a seus concidadãos. Irmã Lisette não soube me informar quantas doses da babosa Van Ass ingeriu, mas garantiu-me que o missionário voltou, feliz, para o Continente Negro, onde se encontra novamente, em perfeita saúde.

• Ida me telefona de Lido, Veneza. Conta que seu cunhado, Gianpaolo Bergantin, esposo de sua irmã Silvana, operado de câncer no cerebelo, examinado pelo médico que o operara, disse que nem parece ter passado por uma intervenção melindrosa do gênero. Seu médico considerou o estado do paciente tão perfeito que marcou o seguinte exame de controle só para depois de sete meses. O paciente, antes dependente total, agora trabalha, dirige carro, come e dorme; numa palavra: leva vida normal. Qual não foi minha surpresa quando recebi o recado de que o trio havia desembarcado do automóvel de sua propriedade – dirigido pelo próprio Gianpaolo – defronte ao Mosteiro da Natividade, onde eu estava hospedado, para uma visita de agradecimento.

• Dona Evelina Bell'Uomo, de Florença, me telefona que sua mana Teresa, com câncer nos ossos, em cadeira de rodas, há muito tempo, está sentindo que as forças estão voltando. Posteriormente, quando de minha estadia em Florença, em julho de 1995, encontrei Teresa, dona-de-casa, deslocando-se desembaraçadamente pelo lar, ocupada em seus afazeres domésticos, com uma sadia cor rosada, sorridente, feliz, sem auxílio sequer de bengala. A família, em agradecimento pela cura, quer que lhe envie as medidas do berço da manjedoura de Belém, porque pretende mandar fazer berço, trabalhado em ouro, para o Menino Jesus da Gruta.

- O Pe. Frei Vicente Iannello, OFM, guardião do Convento da Flagelação (Via Dolorosa - P.O.B. 19424 - 91193 - Jerusalém, Israel), está eufórico. Sua mana, nos arredores de Nápoles, realiza "milagres", aplicando a "fórmula do Pe. Romano Zago". Curou uma senhora portadora de câncer no cérebro, curou um senhor com câncer nos ossos e curou outra senhora com câncer na garganta. Agora está às voltas com uma menina que sofre de câncer no cérebro.

- Telefonema do pai de Luciano Marotta, menino de quinze meses. Os médicos do Hospital de Bréscia dizem que, caso semelhante ao de Luciano, tinham tido apenas um e esse não havia resistido. Depois do tratamento, Luciano foi examinado. Segundo a equipe médica, a criança não apresenta uma só célula cancerosa! Quando foram apresentar o resultado dos exames à mãe, que se encontrava no quarto do menino, não puderam conter as lágrimas de alegria diante da vida nova, renascida! O pai garante que está com toda a documentação guardada, à minha disposição, quando a requisitar. O pai ficou "flutuando". Disse que nem sabe se acredita, porque é bonito demais!

- Irmã Carla, madre-geral das Irmãs do Coração de Jesus, veio visitar-me, em Belém, acompanhada de sua secretária, agradecendo-me pela cura de câncer de mamas, porque recebera, a pedido, um frasco do preparado.

• Micol, de 13 anos, da região de Ancona, Itália, desde os cinco sofre de câncer no cérebro. Passou por três operações no Centro de Oncologia de Paris, talvez o mais famoso do mundo. Agora o "animal" voltou a atacar com redobrada fúria. Não há cortisona nem morfina que acalme a dor da garota. A hipótese de uma quarta cirurgia está fora de qualquer perspectiva. Apelou para um frasco do preparado de babosa. A menina se acalmou. Já anda de bicicleta, brinca, conversa. O mal, porém, segundo os exames, continua em seu organismo. Ingerida uma segunda dose e feita a análise, "a ficha dela ficou uma beleza: limpinha".

• Carolina, de três anos, filha de Rita e Paulo, de Florença, está com leucemia. Tomou um frasco, embora internada no hospital para aplicação de quimioterapia. De 70%, seus valores baixaram para 3%. Explicando a leitura dos valores aos pais, leigos na matéria, disseram os médicos: "Antes do tratamento com babosa, no organismo de Carolina se podia observar como que um deserto; agora, o organismo apresenta uma abundante flora, cá e lá; porém, com reduzidos sintomas do mal". As últimas notícias garantem que Carolina passa bem. Em ação de graças, Paulo e Rita, felizes com a cura de Carolina, sondaram-me para adotar uma criança.

• Pe. Frei Lourenço, OFMConv., de Parma, sofre de câncer de próstata. Os médicos abriram-lhe o baixo-ventre. Nada a fazer. Antes de fechar, de comum acordo, decidiram praticar uma colostomia no paciente, a fim de, segundo suas condições de recuperação, quem sabe, fazer algumas aplicações de radioterapia e quimioterapia, na tentativa de prolongar a vida do frade. Mas Frei Lourenço tinha um anjo da guarda que começou imediatamente a preparar-lhe a babosa. Resumo da história: três meses após a operação, Frei Lourenço encontrava-se em tão incríveis condições de saúde, que os mesmos médicos que tinham feito a primeira cirurgia "tiraram o saco artificial", e ele voltou a ser como Deus o criara. Hoje, Frei Lourenço vive seus 70 anos [sic.], risonho, feliz, procurado por todo mundo como confessor e carismático, muito querido na cidade. Frei Lourenço já é mais um caso dos vários conhecidos que, tendo passado por uma colostomia, voltaram a seu estado anterior à cirurgia.

• O Sr. Gregório, de Milão, é portador de câncer de nove centímetros, localizado na bexiga. A equipe médica de Como está pronta para a operação. Tirar a bexiga e substituí-la por uma de plástico, ou deixá-lo sem ela. O homem se apavora e me telefona, pedindo socorro. Depois de um frasco de babosa, o tumor, de nove, passou a medir apenas dois centímetros. Depois de uma segunda dose, Gregório não tinha mais câncer. A equipe de Como ficou a ver navios. Gregório vai e vem com a bexiga que Deus lhe deu! Na palestra que dei em Milão, num domingo à tarde, lá se encontrava o nosso Gregório – "feliz da vida" é apelido – dando testemunho.

• Christopher, de seis anos, com leucemia, veio com os pais Joaquim Eugênio e Dona Fátima, a Belém, para uma visita. Os médicos lhe tinham dado não mais de dois meses de vida. Mas interferiu a babosa. Antes andava em cadeira de rodas; depois começou a andar sem o auxílio de nada e de ninguém, apenas puxando um pouco da perna direita. Depois de uma segunda dose, feita em Belém, o pai, após duas semanas, me telefona que o prazo fatal previsto pelos médicos, para Christopher, acabou, felizmente. E o garoto nem puxa mais da perna. Superou a anemia. O casal está querendo me levar à África do Sul e Moçambique, a fim de difundir a nossa fórmula e beneficiar as pessoas de lá. A família Joaquim Eugênio Ferraz e Dona Fátima mora em Pretória. Christopher, antes de partir de volta para casa, fez questão de me deixar um relógio Seiko, de lembrança, porque, segundo ele, deve a mim sua cura. Na verdade, deve-a à babosa e ao preparado dela derivado.

• O casal Flávio e Margarida Basso, de Trento, Itália, veio a Lonigo em busca de recurso para seu filho, de 35 anos. Saindo em férias, com a família, em julho, André foi acomedito de súbito ataque de epilepsia, o primeiro de sua vida. Internado em Veneza, os médicos suspeitaram de que poderia não se tratar do citado mal. Repetidos os exames, na verdade, surgiu o veredicto final: câncer no cérebro. O moço foi perdendo os movimentos do lado esquerdo; não falava. O quadro era desolador para a jovem esposa e toda a família. Apelaram para a babosa. Depois de consumir dois frascos, num mês, recuperou os movimentos e a fala. Tudo indica que o caso se encaminha para um final feliz.

• Antônia Venzo Fridosio (Via Giuseppe Zuccante, 35, 36040 - Grancona - Vicenza, Itália - fone: 0039 444 88 95 42) começa a perceber que seu filho caçula, de seis anos, apresenta reações um tanto estranhas e que a preocupam. Seria manifestação de algum desequilíbrio interior? Mateus sempre fora um garotinho normal. Levado a Verona, os médicos, depois de vários exames, detectam dois focos nas têmporas, responsáveis seguros de uma epilepsia futura. Imagine a preocupação dessa mãe! Antônia, por iniciativa própria, aplica o medicamento no garoto, nem tão severo, já que o filho frequenta a creche. Consequentemente, a dose do meio-dia "foi para o espaço" ou relaxada, já que no estabelecimento ninguém se preocuparia com o problema. Terminado o conteúdo do primeiro frasco, Dona Antônia volta a Verona para os controles. Para estupefação sua e dos médicos, os dois focos tinham sido desaninhados.

• O Rei Hussein II da Jordânia regularmente seguia, em seu avião particular, para aplicações nos Estados Unidos, portador que é de câncer na próstata. Seu caso, em vez de melhorar, assumia proporções avassaladoras. Tanto é verdade que apareceu na TV do país, anunciando sua doença e, consequentemente, entregando o trono a seu irmão, comandante em chefe das Forças Armadas. O rei estava pálido e magro na imagem. Seu fim parecia estar próximo. Acontece que, num encontro casual com Farideh Hanna, senhora que mantém um ateliê de confecções sacras, na Sexta Estação da Via Dolorosa, em Jerusalém (fone: (02) 284 367 - P.O.B. 19442), ficou estabelecido que enviaríamos um frasco do medicamento para recuperar o monarca. A remessa repetiu-se por duas vezes. O certo é que Hussein II suspendeu suas viagens regulares à América, não retomou o assunto da renúncia nem entregou o trono. Ao contrário. Recuperou o peso. Negociou os tratados de paz com os vizinhos judeus, Rabin, e os palestinos, Arafat. Apresenta uma cor sadia quando aparece na TV. Parece curado; precisaria confirmação oficial.

• Dona Míriam, uma judia que mora na Sokolov Street, 16 A, Jerusalém (fone: (02) 618 025 / (02) 638 003), soube dos efeitos da babosa. Convidou-me à sua casa para que lhe ensinasse o "segredo". Teve o cuidado de emprestar-me seu avental de dona de casa, a fim de não sujar meu hábito franciscano. Sob seus olhos, preparei duas doses, uma para Dona Míriam e outra para o marido. Queria experimentar os efeitos no próprio corpo. A partir deste primeiro frasco

Dona Míriam tornou-se difusora do preparado entre os parentes, amigos e pessoas de seu relacionamento, tanto em Israel como na Itália. Experimentou a alegria de curar muitos irmãos. Dona Míriam, é bom que o diga, cultiva um quase culto pelos franciscanos, porque o Frei Ricardo Niccaci, em Assis, no tempo da Segunda Guerra, por ocasião da perseguição aos judeus, salvou a família de Míriam, escondendo-a toda no sótão do convento, fora dos ataques antissemíticos. O certo é que o preparado de babosa, mel e bebida destilada encontra-se espalhado entre os judeus.

• No setor de biologia do Hospital Hadassa, em Jerusalém, é possível tratar-se com a poção. Aliás, foi aí que a paciente do Hospital, Irmã Muna, ouviu dos médicos que a trataram: "Mas como é bom este remédio de Frei Romano!" O mesmo preparado encontra-se em hotéis que recebem hóspedes com doenças de pele (lúpus, psoríase, etc.), consideradas incuráveis no âmbito da medicina tradicional e, ao lado da lama medicinal do Mar Morto (Sodoma e Gomorra), serve como terapia para aqueles doentes.

• No Hospital de Santo Antônio, do Porto, norte de Portugal, o doente de câncer, se o quiser, encontra à disposição o preparado da babosa, mel e aguardente.

• A Dra. Enza Capaci, de Palermo, Sicília, Itália, sempre que aparece paciente com a doença, aconselha, antes de qualquer outra terapia, uma ou duas rodadas com a poção da babosa, mel e grappa. Diz ela que, até agora, nunca a babosa deixou de produzir algum efeito benéfico, mesmo que modesto; por exemplo, o alívio das dores.

• De Ravena me telefona Rogério, no dia 24/02/94, dizendo-se portador de câncer nas cordas vocais. Pede-me que lhe envie uma poção pronta para consumo, através do portador. O preparado segue, com urgência, já que sua voz vai sumindo depressa. No dia 20.05.94, que alegria ao receber um segundo telefonema do Rogério, no qual me inteirava, feliz da vida, que a voz voltara ao normal (de fato, falava normalmente), e os exames garantiam que não havia mais câncer!

• Irmã Emília Birck, FDC, gaúcha, que atua na Inglaterra (Convent of Sacred Heart - Swaffham, Norfolk PE37 7QW - fone: 0760724577), me escreve que a professora de Educação Física de seu Colégio, jovem ainda, já pedira demissão do cargo, portadora que é de um câncer. Respondi-lhe com aerograma, rápido, que aplicassem logo o preparado. Não deu outra: a jovem professora já voltou a seu trabalho.

A gente poderia se estender por páginas e mais páginas, relatando casos de cura, fatos e mais fatos. Se houver interesse do leitor, basta tomar minhas agendas dos quatro anos em que trabalhei em Israel. Praticamente a cada dia se registra um fato, às vezes com nome da pessoa, endereço e telefone.

A doença é sinal certo de que o organismo não está como deveria. Você pode restaurá-lo pela alopatia, homeopatia, isopatia, etc. A alternativa do tratamento com a babosa chama-se fitoterapia, ou seja, tentativa de cura pela planta, método conhecido e divulgado há milênios, sobretudo pela medicina oriental.

***

8 COMPOSIÇÃO DA BABOSA

Através dos milênios, a babosa foi conhecida e passou para a história, nas mais diversas culturas e civilizações, como planta do mito e da magia, servindo até como planta medicinal, mas com frágil sustentação científica. "Os usos medicinais e curativos do *Aloe vera* foram descritos em vários jornais médicos desde o século II depois de Cristo até o século XVII, embora as análises químicas de matérias orgânicas fossem virtualmente desconhecidas até o século XIX. Foi no ano de 1851 que a substância viscosa, amarga e escura extraída do *Aloe* foi cristalizada e identificada como Aloin". Cf. *A cura silenciosa*, p. 65. Foi classificada como um catártico e seu uso farmacológico iniciou a caminhada que lhe dava a primitiva importância e que serviu para identificar a planta durante um século. Suas propriedades curativas mantiveram-se suspeitas, conservando, antes, sempre conotações de cunho folclórico ou místico.

Dos anos 30 do século XX em diante, abre-se longa lista de estudiosos que se debruçaram sobre a planta, dissecando-a, analisando-a por dentro e por fora.

– Foram Collins e Crewe, nos anos 1930, que ensaiaram os primeiros passos para dar suporte também profissional à planta. Trataram, com sucesso, de queimaduras de pele causadas por radioatividade. Seria o início da longa marcha para desvendar as maravilhas que a babosa contém.

– Já em 1938, Chopia e Gosh identificaram os principais ingredientes da planta, como emodina, aloína, ácido crisofânico, resina, goma e traços de óleo volátil e não volátil. Importante colaboração.

– Porém, foi em 1941, com os esforços do Prof. Tom D. Rowe, que a babosa encontrou sua primeira avaliação detalhada. Foi Rowe que, por sua persistente dedicação à procura da verdade, pela análise química da planta, acabou sendo importante para dar-lhe credibilidade.

– No estudo fitoquímico da folha da babosa, Tom D. Rowe e Lloyd M. Parks fizeram a mais extensa análise química dessa planta e registraram seus achados no Jornal da Associação Farmacêutica da América.

– Outros nomes de cientistas de mérito podemos acrescentar à lista, com o perigo de omitir figuras de renome. Destacam-se Gottshall, Lorenzetti, Maria Luísa d'Amico, G.A. Bravo, Icawa, Niemann, El Zawahry, Hegazy, Helal, Gumar Gjerstad, G.D. Bouchey, Ruth Sims, E.R. Zimmermann, Kenichi Imanishi, T.E. Danhof,

Exemplar de babosa na costa do Mediterrâneo, Ligúria, Itália. Foto da Dra. Matilde Negro.

Detalhe da flor de babosa, São Pedro da Serra, RS.

Foto de babosa tirada por Vincenzo Morreale Lascari, Palermo, Itália.

Pé de babosa florido, São Pedro da Serra, RS.

Babosa em vaso. O exemplar foi fotografado em Betfagé, costa oriental do Monte das Oliveiras, Jerusalém, Israel.

Detalhe da copa da planta de babosa, São Pedro da Serra, RS. Observe como surgem as folhas.

Exemplar de babosa (*aloe arborescens*) fotografado em São Pedro da Serra, RS.

Este exemplar foi colhido no pátio da casa de um médico da Tunísia e enviado à França para curar uma pessoa com câncer. Como "prova", enviaram-me a foto a Belém, Israel.

Babosa em flor e sem as flores. Foto da Dra. Matilde Negro, junto ao Mediterrâneo.

Babosa em flor. Foto da Dra. Matilde Negro, Bordighera, Itália.

Planta de babosa existente no jardim do Santuário da Agonia de Jesus (Horto das Oliveiras), no Getsêmani, Jerusalém, Israel.

Fujita, H. Tsuda, K. Matsumoto, M. Ito e I. Hirono, entre outros, cada qual com sua importante contribuição para completar os conhecimentos desta maravilha da natureza.

– Sem entrar no mérito das descobertas de cada cientista, o que encontraram de útil na babosa, depois de vinte anos de intensos estudos, para o gênero humano e/ou animal?

1) Lignina: substância semelhante à polpa, existente numa formação com celulose. Compõe o gel da folha da babosa. Sua presença denota uma grande capacidade de penetração na pele humana. Desconhecem-se, no momento, suas propriedades medicinais.

2) Saponinas: são glicosídios que possuem não somente capacidade antisséptica e de limpeza, mas são, também, soberbos agentes saponificantes, muito usados em cosméticos, tais como os xampus.

3) O composto antraquinônico: as antraquinonas são compreendidas como agentes laxativos, conhecidas como formidáveis exterminadoras de doenças. Sabe-se que as antraquinonas são agentes bactericidas valiosos, na mesma linha tradicional dos antibióticos, com muitas de suas propriedades, porém com menor toxicidade e maior capacidade virucida.

3.1) Aloína: é uma resina livre, um extrato hidrossolúvel da babosa. Apresenta uma cor que vai do amarelo-limão ao amarelo-escuro. Gosto intensamente amargo. Escurece ao contato com o ar e com a luz. Tem ação catártica.

3.2) Barbaloína: derivada da babosa em apresentação cristalina, aumenta a potência da antraquinona. Catártico, com efeitos espasmódicos sobre o aparelho digestivo, a barbaloína é considerada eficaz como analgésico.

3.3) Isobarbaloína: é um isômero da barbaloína e, subsequentemente, mais concentrado.

3.4) Glicosídio barbaloína: é uma resina cristalina formada da babosa. Os produtos dele transformados são as antraquinonas compostas, o antraceno, os antranóis e o ácido acético, especialmente eficazes como inibidores da dor; contém propriedades antibióticas pronunciadas.

3.5) *Aloe emodin lemodin:* é uma forma amarela cristalina da babosa. O nome é hidroximetilantraquinona. Conhecido por seus efeitos laxantes, possui certas qualidades anti-infecciosas relacionadas a muitas antraquinonas. Testados individualmente para observar sua capacidade para inibir o *Stafilococcus aureus*, o *Aloe emodin* e o emodin falharam; testados em conjunto, com o gel da folha, provaram ser bacteriostáticos contra largo espectro de bactérias.

3.6) Ácido aloético: sua referência técnica é a hidroximetilantraquinona, ácido aloético e *Aloe purpura*. É um derivativo do *Aloe emodin*. Suas contribuições efetivas de cura são desconhecidas, a não ser sua participação na antroquinona composta.

3.7) Óleo etéreo: o extrato líquido, relacionado ao óleo de éter, contém muitas propriedades anestésicas e analgésicas encontradas no éter, menos a toxicidade específica.

3.8) Ácido crisofânico: a metilantraquinona derivada do *Aloe emodin* é conhecida pelo tratamento eficaz de doenças crônicas da pele, tais como a psoríase e a tricofitose.

3.9) Ácido cinâmico: é relacionado aos compostos do cinamomo e com elevada atividade carminativa e digestiva; estes ácidos são considerados úteis como germicidas, fungicidas e detergentes.

3.10) Éster do ácido cinâmico: é uma enzima hidrolisante ou proteolítica, produzida pela ação do ácido cinâmico no corpo humano. Isto perpetua a decomposição enzimática do tecido necrosado e pode atuar como analgésico.

3.11) Resistanóis: o álcool é derivado dos ácidos cinâmicos, que é interativo com eles; os resistanóis são considerados como possuidores de certas capacidades bactericidas, embora, testando-as isoladamente, não o mostrem.

4) Ingredientes inorgânicos e minerais: são classificados como elementos minerais no corpo humano. São nocivos em grandes quantidades e também quando estão ausentes. São interativos com certas vitaminas, com as coenzimas e com as enzimas proteolíticas.

4.1) Cálcio: é reconhecido como sendo essencial ao corpo humano. Talvez igual à importância do ferro, é especialmente necessário para o crescimento dos tecidos ósseos jovens ou para a regeneração de tecidos ósseos danificados. É, invariavelmente, interconectado com o fósforo. Excesso de cálcio no organismo pode criar deformações ósseas anormais, depósitos calcificados e tecidos endurecidos; carência do mineral causa formações ósseas fracas. Sua importância na reconstrução dos tecidos é incomensurável.

4.2) Sódio, potássio e clorina: são sais básicos do corpo e estão fortemente inter-relacionados entre si. O sódio e o potássio são particularmente importantes ao corpo humano, porque essenciais à regulação do metabolismo. Os sais de potássio são fatores essenciais na facilitação da expansão e da contração muscular, na retenção da água e no equilíbrio da química corpórea. O sódio é imperativo ao equilíbrio normal da água; especialmente importante na regulação do metabolismo adulto e necessário para a estabilização dos hormônios adrenalínicos, como as aldosteronas. A clorina é menos significativa por si, no sentido de que não existe um mínimo estabelecido, mas é importante na formação do cloreto de sódio e do cloreto de potássio e em outros minerais de combinações clorádicas. Os três elementos são essenciais na regulação do fluxo de outros elementos na química do corpo e facilitam o fluxo natural do processo de cura.

Deficiências destes elementos minerais podem causar efeitos graves no corpo. Carência de potássio pode explicar constrições musculares (cãibra), vertigem e até cegueira temporária. Deficiência de sódio pode trazer extrema perda de energia, náuseas e sérios problemas metabólicos. Muita clorina no organismo pode causar uma agressão tóxica e produzir infecções peculiares. Pressão alta bem como complicações cardiovasculares podem explicar-se por excesso de sódio no organismo.

4.3) Zinco: talvez o mais largamente utilizado em traços minerais. Não existe nenhuma quantidade mínima nutricional estabelecida para o zinco no organismo, embora haja um nível estabelecido de importância. Está intimamente associado às proteínas dos alimentos e é predominante em algumas fontes de grão natural e nos peixes. As disfunções causadas pela falta do zinco explicam problemas de anemia e hipoglandismos. Achados recentes indicam o zinco diretamente ligado à potência sexual e complicações gênito-urinárias. Prostatites, em grande número de homens, têm sua explicação na deficiência de zinco. O excesso de zinco inibe o efeito de outros minerais, especialmente o ferro.

4.4) Manganês: considerado essencial ao ser humano. Encontra-se nos ossos, fígado, na pituitária, na glândula pineal e glândulas mamárias. A falta deste elemento mineral causa crescimento retardado, desordens nervosas e infertilidade.

4.5) Magnésio: está relacionado, em suas propriedades e composição química, ao manganês, mas conduz funções diferentes. Encontra-se predominantemente no fígado e nos tecidos dos músculos. Importante para mães que amamentam e para o desenvolvimento dos bebês. Níveis significativos de deficiência de magnésio podem causar a síndrome da má absorção, alcoolismo crônico, hiperirritabilidade, vasodilatação, convulsões. O magnésio está inter-relacionado ao cálcio e potássio na regulamentação do metabolismo humano.

4.6) Cobre: como elemento metálico, o cobre não é facilmente consumido pelo organismo humano. Somente 30% do cobre ingerido é absorvido; o resto é eliminado pelo processo de excreção. A falta de cobre nos animais causa problemas de anemia, degeneração do sistema nervoso e lesões cardiovasculares.

4.7) Cromo: é significativo no organismo humano, especialmente por suas ativações de enzimas através da síntese de ácidos graxos e de colesterol. Fica estocado sobretudo no baço, rins, testículos, coração, pulmões e cérebro. É encontrado em muitas enzimas e em moléculas de RNA. O organismo deficiente de cromo será especialmente susceptível ao retardo da tolerância glicósica e será muito susceptível ao açúcar relacionado a doenças como diabete.

Não há nenhuma indicação de que a babosa contenha ferro ou minerais sulfúricos, embora contenha derivados mucopolissacarídeos como a metionina e a cistina, que são sulfatos aminoácidos. O que se sabe é que existem elementos possíveis nos mucopolissacarídeos do gel da folha que são capazes de estimular a atividade mineral no organismo humano.

A importância dos minerais como agentes curativos no organismo humano é uma questão aberta, discutível, mas não existem dúvidas que, quando um corpo está doente ou os tecidos encontram-se danificados, os minerais são imperativos para reconstituí-los. Os minerais são de difícil absorção e facilmente são excretados pelo corpo. Sua participação no processo de cura exige sua reposição como uma necessidade.

5) Falar sobre vitaminas é abrir amplo debate. É assunto, em muitos aspectos, polêmico. Cada vitamina tem seus proponentes e também seus detratores. As dosagens mínimas apresentam certa unanimidade, mas os níveis máximos ainda não foram estabelecidos. Assim, é convenção que ingerir vitaminas A e K, em altos níveis, pode criar efeitos negativos, tais como bloqueios circulatórios e talvez danos cerebrais. A vitamina B6, ingerida em grandes quantidades, seria responsável pela debilitação do organismo. Mesmo no tempo de tantos conhecimentos, ainda não sabemos suficientemente o quanto sejam necessárias as vitaminas para a nutrição, bem como o papel real delas sobre o corpo humano. Não sabemos que tipos de vitaminas são essenciais à nutrição nem se são vitais à sobrevivência do corpo. Na prática, se o organismo se debilitar ou adoecer, são as vitaminas os primeiros elementos que necessitam ser repostos para que o organismo recobre a saúde.

Não se pretende afirmar que a babosa contenha todas as vitaminas necessárias para recolocar nutrição perdida durante a doença. Afirma-se que há vitaminas presentes no gel da folha da babosa. Vamos a rápidas informações sobre as vitaminas essenciais presentes na babosa.

5.1) Vitamina B1: também conhecida como tiamina ou orizamina, atua como uma coenzima no metabolismo. Está relacionada diretamente ao apetite, ao crescimento dos tecidos humanos, à digestão, a atividades nervosas e à produção de energia. Sua ausência causa edema sanguíneo e neurites.

5.2) Niacinamida (niacim): é uma combinação enzimática de ácido nicotínico e enzimas triptofânicas. Sua atividade nutritiva no corpo é importante, diria, essencial. Não somente supre um agente coenzimático com eficácia contra doenças e dermatoses, como também supre, de hidrogênio e colina, os agentes do metabolismo, sendo uma fonte de energia básica.

5.3) Vitamina B2: mais conhecida como riboflavina, atua como uma coenzima no sistema respiratório. É a primeira constituinte das proteínas dos condimentos, essenciais na manutenção da saúde da pele, redução das oxidações dos sistemas e tecidos do olho. É o principal agente na revitalização do sangue; sua ausência pode trazer anemia.

5.4) Vitamina B6: mais conhecida como piridoxina, é uma coenzima em muitas fases do metabolismo do aminoácido e é essencial à formação do crescimento. É a vitamina "doadora da vida". Embora suas propriedades interativas na regeneração dos tecidos não sejam medidas, sua importância, para a estrutura do aminoácido do corpo, não pode ser negada.

5.5) Vitamina C (ácido ascórbico): provavelmente a vitamina mais conhecida do mundo é contida no complexo da babosa. A vitamina C é mais conhecida ou proclamada como preventiva de doenças. Em doses elevadas e contínuas, previne desde resfriados até infeções estreptocócicas e tornou-se o tratamento mais conhecido no mundo contra catarros e gripes. Cientistas há que combatem tais crendices, porque a vitamina C tem falhado em testes. É certo que ela é um catalisador para o organismo humano, aumentando o nível de tolerância aos resfriados e gripes, além de funcionar no metabolismo das enzinas por promover o crescimento dos tecidos, a cura das feridas, a síntese dos polissacarídios e a formação do colágeno. Combate a infecção e é essencial na formação dos ossos e dentes.

5.6) Vitamina E: farmacologicamente, pertence à família dos tocoferóis, sintetizada como a-tocoferol. Conheceu-se por "fator x". Talvez o aspecto menos conhecido da babosa seja o que esta vitamina representa. Está relacionada à saúde da pele, ao crescimento do tecido saudável, especialmente dos tecidos que requerem a máxima eficácia dos ácidos graxos, órgãos como fígado, rins, intestinos e genitais. Promove a produção saudável da medula óssea e do tecido sadio. Sua falta no organismo pode causar problemas de pele, anemia e deformidades ósseas. Em altas doses, ajuda a eliminar infecções. Usada tópica e internamente, trata pacientes com queimaduras. Existem registros que indicam que é eficiente contra agentes carcinogênicos encontrados no alcatrão dos cigarros e nos gases como os nitritos e outros, altamente tóxicos. Tem longa tradição como sendo eficaz nas insuficiências respiratórias, pneumonia e asma. Ela protege os ácidos graxos, absorvendo-os e ajudando-os a fazerem uma rápida conversão em proteínas, para que auxiliem na eliminação das moléstias. Encontra-se presente, em grande quantidade, no gel da folha de babosa, sob forma de oxidotocoferol.

5.7) Colina: é ainda enigmática no organismo humano. Faz parte do grupo de vitaminas do complexo B, mas não atua sozinha. Funciona bem com a vitamina E, sobretudo no metabolismo dos tecidos graxos e da atividade enzimática. Funciona para prevenir distúrbios do fígado e dos rins, sendo essencial na regeneração dos tecidos.

5.8) Ácido fólico: é outra vitamina que funciona melhor em conjunto com outras vitaminas, em particular com as do grupo B. É estimulada pelo ácido ascórbico (vitamina C), o que parece ajudar sua participação na atividade enzimática. O ácido fólico foi considerado muito útil na estrutura do sangue e no combate à anemia.

É preciso frisar que o conteúdo vitamínico da babosa, em todas as vitaminas e minerais presentes, é encontrado em dosagens mínimas requeridas para o uso diário. É tarefa da técnica e da medicina completar o que falta à planta diante das necessidades de um organismo deficiente. Mesmo que algumas vitaminas e sais minerais estejam presentes em quantidade modesta, sabe-se de sua importância como o seu efeito disparador que muitas delas possuem uma sobre as outras, e sobre a sua atividade enzimática no organismo. Segundo padrões comuns de medidas científicas, as vitaminas e sais minerais podem não ter crédito específico nos processos de cura. A maioria tem falhado nas formas isoladas de testes de laboratório. Acontece que é o conjunto dos ingredientes que pesa ou deve pesar. Haveria, pois, um ingrediente ativo que desvende o mistério da babosa, de maneira que sua credibilidade possa ser fixada objetivamente e sua respeitabilidade seja permanente, de uma vez por todas? A resposta é que o ingrediente ativo age por sinergismo. **Sinergismo** significa, literalmente, **a ação conjunta de dois ou mais agentes para criar um efeito sobre o todo, que é maior do que a soma das partes**. Compreendido tal princípio, esclarece-se que muitos elementos, que prometem notáveis poderes de cura, considerados essenciais ao processo vital de um corpo saudável, quando tomados isoladamente, na maioria dos casos, falham ou podem produzir resultados duvidosos. Parece claro, até aqui, que muitos dos compostos antraquinômicos, dos minerais, das vitaminas, quando disparados sinergeticamente, apresentam efeitos diferentes, animadores, o que pode não se constatar em laboratório. *Nunca será frisado suficientemente este sinergismo para se entender os componentes da babosa. É o conjunto que torna a planta perfeita. O mal dos testes é que analisam uma parte, e esta* *pode não atender à expectativa da hipótese e aí se concluí pela ineficácia do todo...*

6) Os mucopolissacarídeos, identificados na babosa: são celulose-glicose, manose, ácido urânico, aldonentose e L. triarmose.

7) As enzimas (incluindo os grandes complexos proteolíticos), identificadas no gel da babosa: são a oxidase, a catalase, a amilase, a celulase e a aliinase.

8) Os aminoácidos, identificados no gel da babosa: são lisina, treonina, valine, tionina, leucina, isoleucina, fenilanina, histidina, arginina, hidroxiprolina, ácido cuparático, serina, ácido glutâmico, prolina, glicerina, alanina, cistina e tirosina.

Pode parecer que a lista seja muito longa. Na verdade deveria ser muito maior. No caso das enzimas, constam apenas cinco. Da evidência dos açúcares redutores e dos aminoácidos, pode-se presumir a existência de, no mínimo, outras vinte a trinta enzimas. Segundo as últimas estimativas, existem cerca de 900 enzimas identificadas no corpo humano. E são muito mais.

No caso dos aminoácidos, a situação é mais complexa. Existem 22 aminoácidos que necessitam estar presentes no corpo humano saudável. Oito deles são considerados essenciais, porque podem fabricar outros aminoácidos no organismo. Pois na babosa são encontrados 20 dos 22 aminoácidos, bem como sete dos oito aminoácidos essenciais. O oitavo, o triptofano, que parecia que nunca seria identificado, é conhecido como um constituinte do complexo niacinamida; sua presença na babosa é vista com fortes probabilidades. Tão certa é a possibilidade de sua existência que a presença do complexo aminoácido na babosa é completa. Além disso, estes aminoácidos podem se combinar matematicamente num número espantoso de combinações. Tudo o que tentamos fazer é dar um exemplo do grande potencial de cura existente na babosa.

Para fazer algum sentido sobre a participação destes elementos na cura das doenças do corpo, precisamos compreender as necessidades básicas do mesmo. Antes de mais, o corpo é um composto de muitos produtos químicos. Os mais importantes para a vida e a saúde são as proteínas. A molécula da proteína é constituída de 20 diferentes compostos chamados aminoácidos, usados para dar energia ao corpo e livrá-lo de doenças.

Certas proteínas atuam como catalisadores. Sua propriedade é acelerar os processos químicos necessários ao organismo sem alterar a si próprias. Estas proteínas são chamadas enzimas. Todas elas são proteínas que funcionam como regulador da delicada química do corpo. Diz-se "delicada", porque estas enzimas se decompõem facilmente e, quando neutralizadas, mesmo em pequeno número, os resultados são as doenças ou até mesmo a morte.

As enzimas mais significativas são aquelas que catalisam as reações hidrolíticas (ou absorvente de água) no organismo. São chamadas hidrolisantes ou, mais especificamente, enzimas proteolíticas. Cada grupo tem certas tarefas simplificadas, para levar elementos introduzidos no organismo, reduzi-los, capacitando-os a reconstruir proteínas aminoácidas saudáveis.

Cada enzima hidrolisada pertence a seu próprio grupo, de acordo com uma das três funções. Aquelas que decompõem os carboidratos (amidos e açúcares) são as chamadas amilases. Aquelas que reduzem as gorduras são chamadas lipases e as que decompõem as enzimas proteicas são chamadas proteases. O fato de que dois destes três grupos são encontrados no gel da babosa explica a razão de sua eficácia no auxílio à digestão.

Existem, também, grupos de enzimas de acordo com outros níveis de funções. Enzimas oxidantes que reduzem elementos básicos (água, peróxido de hidrogênio, etc.). Enzimas hidrolisantes que decompõem alimentos sólidos. E as coenzimas, que funcionam como bases para a reconstrução dos aminoácidos compostos.

O funcionamento apropriado destas enzimas pode ajudar o corpo a converter a gordura e o amido em proteínas essenciais para fornecer vigor e saúde, ou podem decompor as proteínas e as gorduras para recombinações em amidos para uso da energia.

Quando todas as funções orgânicas trabalham em harmonia, e as enzimas e os aminoácidos atuam na recomposição das proteínas, o organismo permanece saudável. Mesmo em caso de traumas suaves, como fadiga, doenças leves, danos mínimos, o processo enzimático proteolítico é suficiente para expulsar as bactérias infecciosas e capacitar o corpo a curar-se. Frequentemente isto é facilitado pela nutrição adicional de vitaminas, sais minerais e a ingestão de alimentos saudáveis.

Quando o trauma torna-se muito severo e as bactérias criam danos aos tecidos, reduzindo a capacidade das proteínas de formar anticorpos para expulsá-las, o organismo humano necessita de ajuda de uma fonte externa. A ingestão nutricional normal simplesmente não pode ser hidrolisada tão rapidamente. O organismo requer, então, uma medicação.

Esta medicação vem, na maioria das vezes, na forma de drogas ou antibióticos, muitos dos quais altamente tóxicos. Embora possam ajudar os anticorpos a lutar contra a bactéria causadora da moléstia, eles criam, muitas vezes, efeitos secundários indesejáveis, lesando o organismo em outras áreas, de modo que ele se torna suscetível a outras formas de doenças e podem criar reações alérgicas com sérias implicações. Frequentemente este jogo de pingue-pongue químico pode trazer resultados negativos. E a doença permanece, resultando na morte ou na doença crônica.

Baseado na crença de que o organismo contém dentro de si próprio o poder da cura, se lhe forem dados os próprios sinais, a mensagem fitoquímica correta fará isso. E se houver um elemento botânico que forneça o complemento perfeito às necessidades biológicas do organismo humano, uma planta que forneça todos os elementos que o corpo necessita para permanecer saudável? E se esta planta contiver todas as vitaminas e sais minerais, todos os redutores de açúcares (monossacarídeos e polissacarídeos) e enzimas proteolíticas necessárias para enviar aquelas mensagens de cura? Deixe-nos repetir que estes elementos para a cura e a revitalização dos tecidos não são mensuráveis isoladamente, mas são impulsionados para as áreas doentes através do incrível poder de penetração da lignina e da atividade enzimática proteolítica. As enzimas proteolíticas utilizam os potenciais das antraquinonas e dos agentes detergentes na sua infinita capacidade de combinação e recombinação, funcionando com os nutrientes da planta (vitaminas e sais minerais catalisados através da hidrólise) para revitalizar o sistema proteico.

Pense nos elementos encontrados na babosa. Pense, também, nas necessidades elementares do corpo humano. Acrescente o fator x da babosa, capacitado para penetrar os tecidos. A presença da lignina e das enzimas proteolíticas favorecem a capacidade de penetração da planta, a qual não pode ser constatada nem explicada em testes de laboratório e talvez nunca consigamos explicar. O que deveríamos fazer é tentar compreender o verdadeiro significado do sinergismo, porque é nesta qualidade que reside o segredo da babosa e não nos estudos de ingredientes isolados.

Numa perspectiva mais ampla, o crédito para a verdadeira capacidade de cura do gel da babosa tem sido feito em bases individuais dos mucopolissacarídeos, da atividade enzimática proteolítica e dos aminoácidos. Numa perspectiva limitada, os pesquisadores tentaram ironizar quando foi afirmado que, na construção de uma casa, são necessários tijolos e vigas de madeira. E perguntaram: qual a mais importante para a construção? A resposta é: todas são importantes, mas somente quando estão juntas, no contexto.

Em resumo, nesta altura, possuímos, finalmente, alguns conhecimentos sobre a composição química da babosa, tanto do gel como da folha toda. Sabemos que abrange vários componentes da antraquinona, cujos segredos indicam sua capacidade de eliminar moléstias que, possivelmente, ultrapassam os potenciais bactericidas dos antibióticos. Além disso, a babosa é conhecida por conter alguns analgésicos, combatentes de infecções, vitaminas e sais minerais, que funcionam como nutrientes e como agentes disparadores de outros componentes curativos, todos atuando sinergeticamente, para fornecer um complemento natural de plantas às necessidades biológicas do corpo humano.

Existe uma forte evidência de apoio à crença de que aqueles elementos que são impelidos a reforçar a cura, em direção à área necessitada do corpo ou com sofrimento, são devidos à forte penetração da lignina e da elevada atividade das enzimas proteolíticas. Devido aos mucopolissacarídeos da babosa e de suas atividades enzimáticas, não temos somente um poder notável de penetração e a regeneração do tecido morto, mas também uma forte estrutura sobre a qual o tecido saudável será reconstruído, através do aminoácido composto.

A partir de registros toxicológicos, temos forte evidência para apoiar nossa pretensão de que a babosa não produz efeitos colaterais sobre o organismo humano. Além disso, centenas de registros médicos realizados sobre milhares de casos verificarão, outra vez, esta falta de toxicidade nas aplicações *in situ*.

Eis como *A cura silenciosa* conclui as quase trinta páginas de seu abalizado estudo sobre a composição química da babosa, que reduzimos a uma terça parte. É a partir de uma encorpada leitura do gênero que a gente acredita que esta fórmula ingênua pode oferecer novas esperanças a milhões de pessoas no mundo quando de sua aplicação prática, mas também pode pôr em evidência milhares e milhares de casos concretos de cura que comprovam a eficácia do preparado. Que provas "científicas" mais serão necessárias? Se um fato se repete tantas vezes, é preciso submetê-lo a laboratório para averiguar a sua verdade? Precisarei de comprovação de algum laboratório para saber que uma pedra cai quando jogada para cima?

Como respostas às insistentes provas "científicas", apresentamos os milhares de casos de cura obtidos através do uso caseiro da babosa. Se alguém, mesmo diante de tais evidências, continuar cético, aplique a receita de forma correta. Depois a gente conversa sobre o assunto...

9 A BABOSA É TÓXICA?

Compulsando farta documentação existente, inclusive enciclopédias, constatei que se proclama, de cima dos telhados, em alto e bom som, que a babosa é tóxica. Eu mesmo me deixei levar, durante muitos anos, por tais informações erradas, sobretudo quando transmitia a receita, temendo que, se alguém fosse abusar, carregando um pouco mais na quantidade de babosa, pudesse envenenar-se. Desde que me conheço por gente, aliás, é que ouço a latomia: Babosa é planta tóxica! Envolvido, casualmente, na matéria, decidi tirar a limpo o assunto, para que se acabe, de uma vez por todas, com esta conversa fiada.

Deixo-me orientar novamente pelos conhecimentos completos das duas obras americanas, já citadas, para tranquilizar os leitores no uso desta planta medicinal da família das liliáceas e provar que a afirmação de que a "babosa é tóxica" ou se trata de pessoa mal-intencionada ou de pessoa menos bem-informada. Veremos, pelas conclusões de *A cura silenciosa* e *Aloe: mito, magia e medicina,* que, se uma pessoa pretendesse envenenar-se, não deveria recorrer à babosa, a não ser que dela ingerisse uma tonelada; neste caso, até água mata. Antecipando a conclusão, pode-se afirmar, sem medo de erro, que o grau de toxicidade da babosa é tão insignificante que, submetida a testes laboratoriais, nos Estados Unidos, os níveis mensuráveis de toxicidade da planta resultam, praticamente, imperceptíveis. Não estranha, portanto que, no México, a *sávila,* como a denominam os povos de língua espanhola, seja empregada como salada, ou seja, é tóxica em nível duma alface, e, na Venezuela, entra a fazer parte do café da manhã, comida de colherinha, adicionando-se-lhe umas gotas de mel, quando a achar amarga demais.

Agora você está informado(a) de que o grau de toxicidade da babosa é mínimo. Se quiser aprofundar o assunto, siga o que vai abaixo, fruto de pesquisa em cima das citadas obras; caso não dispuser de tempo, salte a matéria, como se fosse matéria sabida. O importante é que você possa gozar de toda a tranquilidade, quando colher as folhas da planta e for usá-la. Ela é inocente, creia, como um pé de alface...

– *Uma questão de química* é o título da matéria com que *A cura silenciosa* analisa a babosa. Na p. 75, quando discorre sobre o composto antraquinônico da planta, diz textualmente: "As antraquinonas são compreendidas, tradicionalmente, como agentes laxativos, embora haja muitas escolas de pensamento que falam nos muitos valores ocultos que elas possam conter. Num certo grau, elas têm ingredientes misteriosos. *Conhecida como formidável ex* terminador de doenças, também aprendemos que D'Amico, Begnini e outros, nos anos 1950, *descobriram nas antraqui-nonas agentes bactericidas valiosos, na mesma tradição dos antibióticos, com muitas das propriedades* dos antibió-ticos, porém *com menor toxicidade e maior capacidade virucida,* descobertas anteriormente por Lorenzetti e con-firmadas mais tarde por Sims e Zimmermann. Nós já tí-nhamos aprendido que muitas antraquinonas exibem níveis mensuráveis de toxicidade própria. Contudo, na sublime química do *Aloe vera*, vemos *que elas não são tó-xicas*".

Na p. 77, sob o termo "Ácido crisofânico" (crisarobin): "a metilantraquinona derivada do *Aloe emodin* é conheci-da pelo tratamento eficaz de doenças crônicas da pele, tais como a psoríase e a tricofitose (um fungo da pele). *Isola-dos,* eles *exibem certos níveis elevados de toxicidade. No contexto do gel do Aloe vera, nenhuma toxicidade é men-surável*".

Nas p. 89s., numa quase síntese às duas referências acima, afirma, sob a palavra "toxicologia": "Já sabemos que certas antraquinonas presentes no gel do *Aloe vera*, tais como o *Emodin* e o *ácido crisofânico têm níveis men-suráveis de toxicidade quando avaliados num contexto isolado.* Também temos provas, em alguns casos, de que o gel do *Aloe vera* ou o *Aloe vera* estabilizado da América, a loção e o creme que agora, em suas novas formulações, chamam-se *Aloe ativador, Aloe lotion* e *Aloe vera gelly,* respectivamente, medidos, *não têm nível algum de toxicidade. Isto é mais importante do que parece, à primeira vista, uma vez que são medidos níveis tóxicos em todas as coisas pertencentes ao reino animal.* Nos experimentos toxicológicos chamados LD50'S, animais (cães, coelhos, ratos e macacos) foram expostos aos chamados "raios da morte", isto é, eles foram selecionados para receber níveis de exposições suficientes para matá-los. Nos casos de aplicação tópica, eles foram expostos a dosagens agudas de raios em níveis elevados o suficiente para induzir irritações que os levariam à morte. As enumerações da não toxicidade do *Aloe vera* são consideravelmente grandes.

Dividiremos em três os estudos, para provar nosso ponto de vista. Um foi conduzido pelo Laboratório Lakeland, sob o patrocínio do *Aloe vera* da América Inc; os outros dois foram conduzidos por grupos de pesquisa independentes e não registraram nenhuma possibilidade de influência entre eles. Todos os três casos produziram resultados corroborativos.

No primeiro exemplo, um estudo é já conduzido em 1968 por Sam Houston, do Hospital Geral de Brooke, Texas, e pela Faculdade de Odontologia Baylor em Dallas. Neste estudo, o Dr. E.R. Zimmermann, D.D.S., patologista-chefe da Faculdade Baylor, e o Dr. James Brasher e o Dr. C.K. Collins estudaram os efeitos do extraído dos fibroblastos dos rins de coelho e foram subsequentemente sensibilizados por irritantes. Neste ponto, é importante enfatizar que os tecidos do coelho, semelhantes, sob muitos aspectos, aos tecidos do ser humano, têm a vantagem adicional de responderem à toxicidade numa velocidade treze vezes maior que no tecido humano.

Nos testes de Brasher e Zimmermann, o *Aloe vera* foi testado contra a indometacina, uma droga não esteroide, e contra a predinisolona, um potente corticosteroide.

A indometacina, como o *Aloe vera*, parece ter grande atividade analgésica e antiprurídica. A predinisolona foi um reconhecido anti-inflamatório como o foi também a indometacina e o *Aloe vera*, e foi contra este critério anti-inflamatório que todos os três foram considerados candidatos elementares. Os testes foram conduzidos em dois níveis. Primeiro, os três foram testados numa cultura de tecido celular *He La* por sua capacidade de simular a divisão celular e promover a cura. Num período de 72 horas o *Aloe vera* ultrapassou a indometacina e a predinisolona quanto as suas capacidades de acelerar o crescimento de novos tecidos. Mais ainda, o grupo Brasher/Zimmermann colocou as células *He La* em cultura junto com a *Aloe vera*, sob um microscópio eletrônico com capacidade de aumentar 500 mil vezes. Com este aumento, eles foram capazes de observar que não havia nenhum carcinoma; e que o tecido que crescera, estimulado pelo *Aloe vera,* era completamente normal.

Mais importante para nossos usos, o *Gel do Aloe apresentou um nível insignificante de toxicidade* no seu tecido celular sensitivo, enquanto os *níveis apresentados pela predinisolona* e a *endometacina eram bastante altos.* O gel do *Aloe* fornecido foi a fórmula desenvolvida pelo *Aloe vera* da América Inc.

Estes testes ajudaram a confirmar as conclusões encontradas pelo Laboratório Lakeland em 1966. Em experiências conduzidas sobre um grande número de coelhos, Henry Cobble e o Dr. Mertin Grossman, patologistas, não *encontraram toxicidade presente em nenhum órgão vital, nem no tecido muscular ou na pele dos animais-cobaias.* Houve algumas perdas de peso em coelhos que tinham ingerido doses do *Aloe*, mas isto foi atribuído a uma falta de nutrientes "normais" na dieta. *E mesmo em doses extremamente altas* (mais de 20 gramas por quilo), *a toxicidade era insignificante.*

Em 1968 estas experiências foram repetidas em larga escala pelo Laboratório Hazelton de Falls Church, Virgínia.

Sob a direção de William M. Busey, M.D., patologista, experiências com LD50 foram conduzidas em animais de testes, usando intensa administração oral nos testes de ratos e nos oito cães, e intensa administração dérmica em grupo de ratos brancos.

Todos estes animais foram expostos a doses extremamente elevadas durante um período de 14 dias. Os resultados, mais uma vez, foram excelentes. As avaliações feitas pelo Dr. Busey foram as seguintes:

Os ratos foram observados no sentido da mortandade e dos efeitos tóxicos após o período de 14 dias. A intensa dose oral de LD50 administrada foi maior que 21,5g/kg (dose extremamente alta).

Doses orais únicas do gel estabilizado de *Aloe vera* foram administradas através de um tubo estomacal em quatro grupos de vira-latas, contendo um macho e uma fêmea em cada grupo. Nenhuma morte foi registrada no período de 14 dias após a dose; portanto, a dose oral tolerada por cães vira-latas poderia ser maior do que 31,6g/kg do peso corporal.

O gel estabilizado do *Aloe vera* foi também analisado nas irradiações dérmicas e na toxicidade durante 24 horas em aplicações no abdômen (raspada a pele) dos ratos brancos. Nenhuma morte foi constatada. A intensa dose dérmica LD50 é, portanto, assumidamente maior do que os 10g/kg de peso corporal. As irritações dérmicas foram mínimas.

... Existem, também, pesquisas convincentes feitas sobre as suas capacidades curativas, na forma de registros bacteriológicos e histórias de casos médicos recentes.

Como última referência extraída de *A cura silenciosa* sobre a toxicidade da babosa, transcrevemos o que se encontra à p. 92, sob o termo "resumo": "A partir de nossos registros toxicológicos, temos uma forte evidência para apoiar nossa pretensão de que o *Aloe vera não produz efeitos colaterais sobre o organismo humano*. Além disso, centenas de registros médicos realizados sobre milhares de casos *verificarão*, outra vez, *esta falta de toxicidade nas aplicações* in situ".

Relendo a segunda obra citada: *Aloe: mito, magia, medicina*, de Odus M. Hennessee - Bil R. Cook, deparamos com novos depoimentos sobre o tema. À p. 11, encontramos uma síntese sobre a planta; vale a pena chamar à atenção para o que fala sobre o conteúdo da casca da babosa: "Estudos científicos têm provado que o uso mais efetivo do *Aloe vera* provém de uma mistura balanceada desses três elementos. O gel desempenha seu papel quando misturado apropriadamente ao suco, mas possui pouco valor medicinal quando não está misturado. A seiva contém a maioria dos agentes medicinais e é muito mais do que apenas um purgativo ou um tratamento para pequenas injúrias da pele. A casca mais externa tem sido virtualmente considerada sem valor por alguns, apesar de também conter agentes medicinais e muitos dos nutrientes encontrados na seiva e no gel. Posteriormente, estudos químicos *mostraram que a casca não é danosa nem perigosa,* como muitos declararam. A evidência sugere que o uso mais efetivo da planta é o uso da folha inteira".

Veemente defesa da planta encontramos, em longa citação, à p. 56. Ei-la: "A despeito do uso da seiva como um agente curador em receitas antigas, quase todos os propagandistas declaravam que a seiva não somente causava reações alérgicas, mas que era perigosa e, portanto, não poderia ser usada nos produtos de *Aloe vera.* A fim de vender seus produtos, eles tinham criado o mito de que o gel sozinho é o agente de escolha, amparando essa ideia pela difusão da inverdade de que os estudos modernos mostravam que a seiva é tóxica ao tecido humano e que causava nele reações alérgicas. *Ao contrário destas declarações, todos os estudos publicados sobre a toxicidade mostram claramente que o* Aloe *tem pouco ou nenhum efeito tóxico e que não causa alergia.* Talvez os propagandistas estejam simplesmente confusos por seus conhecimentos superficiais da química do *Aloe.* Para citar somente um exemplo do possível desconhecimento, está o fato de que a seiva é cientificamente conhecida como uma antraquinona glucosídica. De acordo com o Index da Merck, uma antraquinona é uma substância sintética usada na fabricação de tinturas, que tem uma toxicidade sistêmica e pode causar irritações ou erupções da pele. Portanto, uma informação individual incompleta pode erroneamente concluir, a partir desta definição sobre antraquinonas sintéticas, que a seiva, "que coincidentemente ainda é usada como tintura", seja tóxica ou cause erupções na pele ou reações alérgicas. Talvez outra fonte desta ideia, de que a planta seja tóxica ou venenosa, é a grande Enciclopédia Russa, que declara que uma espécie de *Aloe* que cresce na Rússia é aparentemente venenosa. Entretanto, essa espécie não tem nenhuma relação com o *Aloe vera*. Pode-se continuar a citar diversos exemplos errôneos sobre o *Aloe vera* que têm sido repetidos infinitamente pelas pessoas desinformadas. Frequentemente, mitos específicos podem estar relacionados a suas fontes de origem. Escritos subsequentes simplesmente copiaram o erro original sem nenhum cuidado em testar a validade daquilo que eles repetiam, e a confusão aumentava".

À p. 59, explana que é o conjunto da planta que atua e não um elemento isolado: "Muitos pesquisadores propuseram um possível relacionamento sinergístico entre todas as substâncias contidas na planta do *Aloe vera*. *O sinergismo significa a capacidade de todos os componentes físicos e químicos da planta funcionarem juntos, para causarem um benefício maior que a soma total de cada um funcionando individualmente.* Se for correta esta teoria, *pode-se explicar o fato de o* Aloe *não apresentar toxicidade ou efeitos alérgicos,* embora contenha agentes que, se forem isolados ou usados sozinhos, podem causar efeitos tóxicos e alérgicos".

À p. 61, explica que a babosa age sem causar danos devido a seus componentes sabiamente distribuídos: "Da evidência obtida nessa pesquisa (realizada no Centro de Queimaduras - Universidade de Chicago, em 1982), pode-se postular que o *Aloe vera funciona sem causar efeitos tóxicos ou alérgicos* devido a seus nutrientes e o conteúdo da água atua como um efeito-tampão. Os nutrientes são também essenciais ao crescimento do tecido e à sua funcionalidade. A planta controla (ou elimina) infecções devido a seus agentes antissépticos naturais – enxofre, fenóis, lupeol, ácido salicílico, ácido cinamônico e ureia nitrogenada. Ela controla a inflamação devido aos seus ácidos graxos anti-inflamatórios, que são o colesterol, o campesterol, o B-sistosterol, e ela limita ou cessa a dor devido a seu conteúdo de lupeol, ácido salicílico e magnésio. Atuando conjuntamente, esses agentes e os outros agentes das folhas constituem aquela relação sinergética. Assim, nós temos uma explicação racional para os numerosos relatos de que o *Aloe vera* elimina muitas infecções internas e externas, e é um redutor da dor altamente eficaz. A química explica a capacidade dos *Aloes* de funcionar como um tratamento eficaz nas queimaduras, cortes e abrasões, assim como para o tratamento de doenças inflamatórias, tais como febre reumática, artrites de todos os tipos, doenças da pele, boca, esôfago, estômago, intestino, cólon e outros órgãos internos como o rim, baço, pâncreas e fígado. É importante lembrar que os agentes anti-inflamatórios e antibacterianos são encontrados na seiva e na casca das plantas, não no gel. Ao mesmo tempo não se deve esquecer que os nutrientes básicos e outros agentes são largamente espalhados por toda a planta – significando a seiva, o gel e a casca – e cerca de 98% da água é confiada ao gel. Esse conhecimento ajudaria a pôr falácias pseudocientíficas de lado, especialmente o mito de que o gel da planta é totalmente responsável pela capacidade curativa do *Aloe vera*. Ao mesmo tempo necessitamos evitar uma super-reação que descarta o gel como sendo sem valor. O gel é importante como agente-tampão. Portanto, a teoria de uma relação sinergística é aquela que está apoiada tanto na ciência como na história. Em nossa procura pela verdade, temos uma explicação química do *Aloe vera* em curar e de controlar ou eliminar um grande número de doenças causadas por micróbios, para aliviar ou eliminar a dor e conter a inflamação. Sabemos que tem sido repetidamente afirmado que a planta tem todas essas capacidades e muito mais. Contudo, não mencionamos, ainda, a capacidade do *Aloe* de eliminar a água dos tecidos, de ajudar na digestão, de equilibrar a acidez do corpo, de eliminar ou reduzir grandemente cicatrizes, de regenerar folículos pilosos, de renovar peles danificadas, dando-lhes uma cor saudável ou muitos outros benefícios que serão explorados, assim que sairmos da teoria para a prática".

Da p. 65 em diante, do capítulo nono, o tema específico é "toxicologia". Valeria a pena transcrevê-lo *ipsis litteris*, mas é um tanto longo. Dou-me ao trabalho de enxugá-lo um pouco. Logo de saída diz: "Na obra *O superfaturamento do Aloe vera*, o F.D.A. traz uma questão problemática não resolvida: quando o autor do artigo indica que o suco do *Aloe vera*, se for ingerido, pode ser tóxico. Ao mesmo tempo, o autor declara que, num estudo de 1974, mostrou que o suco do *Aloe vera* não era tóxico para ratos. De fato, uma leitura cuidadosa da literatura relacionada com a possível toxicidade do *Aloe vera mostra que o Aloe vera não somente não é tóxico, mas que ele realmente promove a regeneração dos tecidos.* Estranhamente, em 1959, o próprio F.D.A. *concluiu que o Aloe vera não era tóxico.* Ou, no mínimo, esta é a impressão deixada por Gunnar Gjerstad e T.D. Riner, no seu artigo 'Estado atual do *Aloe* como uma Panaceia'. Gjerstad e Riner revisaram dados submetidos por E.P. Pendergrass relativos à eficácia do *Aloe vera* no tratamento para queimaduras de raio-X e de outras radiações, e admitiram que a pomada de *Aloe* usada por Pendergrass regenerava os tecidos da pele. O resto deste capítulo se proporá a responder à questão: é o *Aloe vera* tóxico, isto é, necrosa ou regenera os tecidos? Embora exista um grande campo de evidência expressiva de que o *Aloe vera* cura e regenera tecidos vivos, a questão ainda está sendo feita por aqueles que necessitam de maiores provas do que de resultados positivos. Em outras palavras, os incrédulos querem que sejam feitos estudos específicos que mostrem que o *Aloe* não é nocivo aos tecidos e que os regenera. Tal estudo foi publicado pelos Laboratórios Hazleton Inc., uma subsidiária do TRW, de Falls Church, V.A., em janeiro de 1969. O índice de toxicidade foi observado no seu trabalho 'Aplicações dérmicas feitas em coelhos durante 13 semanas com gel de *Aloe vera* estabilizado - relato final'. Os pesquisadores da Hazleton concluíram que as aplicações repetidas do *Aloe vera* não resultavam em mudanças histopatológicas em nenhum dos tecidos examinados, nem que qualquer *Aloe* causasse alguma alteração histopatológica no fígado, rim ou pele dos coelhos brancos". Em outras palavras: o *Aloe vera não é tóxico.* Também o artigo de R.R. Zimmermann, de 1969: 'Os efeitos da predinisolona, indometacina e o Gel de *Aloe vera* na cultura das células de tecidos' no Federal Dental Services. Zimmermann disse que, depois de usar o *Aloe vera* em várias concentrações, determinou-se que ele era menos tóxico do que a predinisolona ou a indometacina quando testado na linhagem Gey de células He La e nos fibroblastos do rim dos coelhos. É importante observar que esse estudo concluiu que o *Aloe vera* fez com que as células vivas estudadas tenham vivido dois terços mais do que normalmente era esperado. Assim, não somente o *Aloe vera* não mata as células, mas as estimula a viver numa condição saudável por um tempo mais longo".

Para encerrar este assunto da toxicidade da babosa, segue o que um dentista pratica em sua profissão. Confira a matéria à p. 84: O Dr. Wolfe recomenda que o gel deve ser esfregado ao redor das coroas permanentes e sob as margens gengivais ao redor dessas coroas pelo massageamento do produto com seus dedos. Com referência ao estudo periodôntico, o Dr. Wolfe declara que: "Numa gengivite necrosante ulcerativa aguda, o objetivo é aliviar os sintomas, a fim de que possa ser realizado um completo desbridamento. A primeira visita usualmente consiste em uma cuidadosa remoção de tártaros. Depois de uma higiene oral, é indicado ao paciente que aplique o *Aloe vera* tão freqüentemente quanto possível nas áreas infestadas, com seus dedos, com um estimulador interdental ou uma seringa de irrigação". Para uso endodôntico, o Dr. Wolfe declarou que o *Aloe vera* era eficaz como um lubrificante de canais. Antes de injetar nos canais, o Dr. Wolfe explica: "Eu despejo uma pequena quantidade de *Aloe vera* numa lima para limpeza de canais. Eu não me importo se qualquer quantidade do gel ultrapasse o limite, porque a pesquisa tem revelado que o *Aloe vera não é tóxico e que regenera o tecido celular*".

O ideal seria transcrever os dois livros em seu conteúdo, pois ambos formam uma verdadeira enciclopédia sobre a babosa. Para finalizar este capítulo, escolhemos alguns trechos mais práticos.

1) "Há o mito de que a planta de *Aloe vera* não tem nenhum valor médico até suas folhas estarem grandes (mais de uma libra, 454g) e ter entre dois e quatro anos de idade. Uma ideia que é derrubada pelo fato de que, mesmo plantas com folhas pequenas (3 ou 4 onças, mais ou menos 70g) e cultivadas no peitoril da janela, têm benefícios extraordinários. Por outro lado, o broto que cresce da raiz da planta-mãe começa a produzir seiva em poucas semanas; isto explica por que animais domésticos, especialmente gatos, comem o broto logo depois de seu aparecimento. Não é a idade da planta que explica seu valor medicinal; entretanto, folhas grandes são críticas para o sucesso do produtor comercial". Como se observa, também a folha jovem serve, porque já contém as propriedades medicinais da planta.

2) "Por exemplo, o Papyrus Ebbers diz que o *Aloe vera* era usado para adorno tanto para homens como para mulheres, referindo-se tanto ao uso interno quanto ao uso externo para realçar a beleza e a saúde, por dentro e por fora. O adorno, nos tempos antigos, era usado para significar que a saúde e a beleza caminhavam de mãos dadas". Saúde e beleza significam dons; podem ser buscados por homens e mulheres com tenacidade.

3) "Só quando eu li sobre o *Aloe vera* e o experimentei, em 1973, realmente senti alívio para meus problemas de pele, usando um produto 'jelly', baseado no *Aloe*, que era uma combinação de seiva e gel. Infelizmente, eu não tinha, até então, nenhum conhecimento de que o *Aloe* podia ser utilizado para uso intenso, porque eu ainda acreditava no contrassenso predominante que proclamava que a seiva era venenosa. Só há seis anos, quando comecei seriamente a estudar tanto as evidência históricas quanto as científicas relativas à planta, eu comecei a ingerir o *Aloe vera* 100% de alta qualidade. Eu sabia que era *Aloe* verdadeiro porque eu mesmo o processei. Para minha surpresa e alegria, minhas alergias desapareceram completamente, logo após eu ter começado a tomar o *Aloe* diariamente. Notei, então, que se eu não consumisse regularmente o *Aloe*, minhas alergias retornariam; então eu comecei a fazer experiências. Entre janeiro e junho de 1984, eu tomava *Aloe* em períodos regulares de duas semanas. Descobri que, quando eu bebia o produto diariamente, as minhas alergias desapareciam, e, quando eu parava de tomá-lo, elas voltavam. Embora eu não tivesse completado minha investigação para descobrir por que o *Aloe* funcionava, eu pessoalmente experimentei seus benefícios e, já que eu não queria que as alergias retornassem, eu comecei a tomar o *Aloe* todos os dias, e continuo até agora. Hoje eu sei que não tenho nenhuma alergia aparente, mas sei, pela minha experiência, que, se parar de

beber o *Aloe*, os sintomas retornarão. Além disso, minha dermatite atópica vitalícia desapareceu completamente. Mas o *Aloe* fez mais do que curar minhas alergias. Tomando *Aloe vera* todos os dias, eliminei completamente a indigestão crônica da qual eu sofria juntamente com constipação intestinal e infecção dos rins. Estou agora completamente livre das hemorroidas, devido, eu acredito, a aplicações sistemáticas de pomada de *Aloe* e por ter uma digestão e excreção mais regulares. O meu nível de colesterol baixou pela metade, embora eu deva atribuir o resultado também à mudança de dieta. Também constatei que beber o *Aloe* fez cessar a dor e diminuir o desenvolvimento de artrites nos meus joelhos e tornozelos devidas a contusões contraídas no esporte e pelas quais me submeti a quatro cirurgias importantes quando adolescente e adulto jovem. Sei realmente que, quando comecei a beber o *Aloe*, minhas pernas pararam de doer, e as dores não retornaram desde que eu me lembre de estar tomando o suco diariamente. O *Aloe* aumentou o meu nível de energia, e devo acrescentar que durante os últimos cinco anos eu não peguei nenhum resfriado severo, gripe ou qualquer outro tipo de infecção maior, enquanto muitos de meus amigos têm repetidamente sofrido de tais problemas. Eu poderia continuar, mas acredito que você já está ciente deste assunto". Seria necessário depoimento mais completo? E a babosa deu conta de um "hospital de males", como vimos no caso acima. Cai outro tabu: pode-se tomar a babosa ininterruptamente, comprovando-se, assim, que o grau de toxicidade realmente é insignificante...

4) "Por favor, preste atenção particular de que na descrição acima nós indicamos que o Reverendo Thompson permanecia sob cuidados médicos durante o curso de tratamento caseiro (após ter realizado mais de 22 cirurgias de pele, vítima que fora de queimaduras nas pernas, por causa da explosão de uma lata de gasolina) com a pomada do *Aloe* e que um segundo médico o examinou para confirmar que a úlcera estava curada. Parece-nos ignorância não tirarmos vantagens de cuidados médicos modernos. Por outro lado, é também vantajoso ressaltar que o corpo do paciente pertence inteiramente a ele e não ao médico. A simples verdade é que no passado os pacientes tinham a tendência de ser notavelmente dependentes dos médicos. Obviamente, o médico especializado é a primeira autoridade que deveria ser consultada no caso de doença ou lesão. Mas se, após anos de tratamento, o sofrimento permanecer com o mesmo estado da doença com pequena ou nenhuma melhora? Parece-nos óbvio que, em tal situação, o indivíduo tem o direito de procurar alívio em métodos alternativos". Há muita sabedoria nas linhas acima. Outra coisa é fazer, como muitos brasileiros, automedicar-se. De outro lado, também é tipicamente brasileiro procurar o médico por simples e inocente resfriado...

5) "Eu também tenho visto curas do *Aloe* de uma maneira fantástica. Provavelmente o mais espetacular exemplo que eu vi pessoalmente se referia a um negociante local bem respeitado, Lyle Ball. Em fevereiro de 1988, Lyle submeteu-se a um tratamento radical para câncer de pele, que se espalhava em ambos os braços, começando acima do seu cotovelo e incluindo o dorso de ambas as mãos. O procedimento foi realizado num período de duas a três semanas e envolvia quimicamente as queimaduras de câncer. É desnecessário dizer que Lyle sentia dores fortes depois desse tratamento. Seu médico deu-lhe analgésicos e pomadas tópicas, mas Lyle disse que os analgésicos não funcionavam. Sua esposa, que conhecia alguma coisa sobre o *Aloe vera*, sugeriu-lhe que o *Aloe* o ajudaria a mitigar a dor e poderia ajudar na cura das queimaduras químicas. Cerca de 48 horas depois de ter iniciado a última quimioterapia, Lyle começou usando uma combinação de pomada de *Aloe* concentrado juntamente com um *spray* de gel concentrado de *Aloe*. Ele disse que usou ambos os produtos tendo a dor como critério. De acordo com Lyle, a dor extrema que ele sentia foi aliviada quase imediatamente depois do uso da pomada e do *spray*, e depois de uma semana a dor havia desaparecido. Como é mostrado nas fotos (encontram-se no livro e a cores!), a queimadura nos braços do Sr. Ball havia sido curada quase completamente em 11 dias (do dia 18 a 29 de fevereiro de 1988). Até o momento deste escrito, a pele

de ambos os braços do Sr. Lyle e mãos estavam completamente curadas e com poucas cicatrizes". Histórias como estas envolvem pessoas que usam a babosa para curar seus males.

Sintetizando, podemos concluir, rendendo graças a Deus por esta planta estupenda que Ele colocou em nossa natureza, sobretudo à disposição dos menos favorecidos, mas também dos poderosos quando não mantêm o espírito obtusamente fechado para assuntos como o deste livro ou por ganância ou por teimosia. Que Deus abra generosamente as mentes...

> *Fruto de pesquisas feitas em cima da babosa realizadas pela Universidade de Israel (onde chove pouco), concluiu-se que as folhas, quanto menos água contêm, mais eficazes se tornam.*

10 BABOSA X AIDS

Estudos realizados por Bill McAnalley mostram que se conseguiu isolar um outro polissacarídeo, o carrisyn, e um estudo canadense o identifica com Acemannan, a atividade antiviral. A substância é patenteada pelos laboratórios Carrington. Existem provas clínicas, em pacientes de Aids, que mostram um estímulo ao sistema imunológico, impedindo que o vírus de HIV se alastre no paciente. Estas descobertas comentaremos com o leitor.

Regressando do Oriente Médio e da Europa, em meados de agosto do ano de 1995, caem-me nas mãos *A cura silenciosa*, um estudo moderno do *Aloe vera*, da autoria de Bill C. Coats, R. Ph. com Robert Ahola, numa tradução particular, patrocinada pela Toho Cosmetic, e *Aloe: mito, magia, medicina*, *Aloe vera através do tempo*, de Odus M. Hennessee - Bill R. Cook, os estudos mais completos que jamais lera sobre a babosa, aplicada em animais e pessoas, uma experiência de vinte anos dos autores; incrível, mas na leitura senti-me perfeitamente em casa, já que experiência semelhante fora minha também, *muta-*

tis mutandis, sobretudo com as pessoas, mais modesta, para com os animais.

Especificamente sobre Aids, *Aloe: mito, magia, medicina* apresenta: *Aids: uma nova fronteira na pesquisa*, da p. 88 a 91. Dada a sua importância e clareza, transcrevemos o excerto na íntegra. Sua leitura nos mostra que, nos Estados Unidos, já aplicavam a babosa em aidéticos, sem o nosso conhecimento e com os efeitos que alcançávamos. Eis como segue o texto:

"Desde 1987, tem sido relativamente comum saber entre as vítimas de Aids na área de Dallas-Fort Worth que o suco de *Aloe* ou uma droga (Polimanoacetato) derivada dela proporcionara alívio aos sintomas da doença e protegera aqueles que portam o vírus, mas que não possuem nenhum dos sintomas da Aids para desenvolver a doença.

Embora a evidência disponível seja preliminar, sentimos pelo fato de o trabalho ter sido feito no Centro Médico de Dallas-Fort Worth, Grand Prairie, Texas, e por causa do *status* dos médicos envolvidos, o trabalho é importante, e acreditamos que seríamos negligentes não relatando os resultados obtidos até agora.

É muito importante entender que esta pesquisa não mostra que o *Aloe vera* é uma cura para a Aids, mas ela realmente indica que, em todos os casos examinados, resultados excelentes foram obtidos e, na maioria dos casos testados, o *Aloe vera* impediu o progresso da doença. Em outras palavras, o *Aloe* não é uma cura para a Aids, mas é um tratamento altamente eficaz.

Esta premissa foi primeiramente apresentada em um artigo: "A droga do *Aloe* pode substituir o AZT sem toxicidade", no *Medical World News*, edição de dezembro de 1987. O artigo se referia ao trabalho de pesquisa do Dr. H. Reg McDaniel. De acordo com o Dr. McDaniel, "Uma substância na planta do *Aloe* mostra sinais preliminares de aumentar os sistemas imunes dos pacientes de Aids e de bloquear a expansão do vírus da imunodeficiência humana sem efeitos tóxicos colaterais".

Os resultados do estudo-piloto do Dr. McDaniel mostrou que os sintomas de dezesseis pacientes de Aids foram significativamente reduzidos quando foram administradas 1.000mg por dia da droga durante três meses. Após três meses, seis pacientes com casos avançados de Aids mostraram uma melhora de 20% dos sintomas, enquanto pacientes menos seriamente afetados melhoraram numa média de aproximadamente 71%. O Dr. McDaniel relatou também seus achados de pesquisa no encontro combinado da Sociedade Americana de Patologistas Clínicos e do Colégio de Patologistas Americanos.

Ele diz: "Febre e sintomas de suores noturnos, diarreia e infecções oportunistas foram tanto eliminadas como significativamente melhoradas em todos os pacientes, com quedas correspondentes nas culturas de células do anticorpo HIV positivo e queda dos níveis do antígeno principal do HIV".

A massa de eritrócitos aumentou em todas com exceção de um paciente, e doze pacientes, inicialmente leucopênicos, tiveram um leve aumento na contagem dos glóbulos brancos após o tratamento.

Nenhum efeito tóxico foi notado em um total de vinte e nove pacientes que receberam a droga experimental.

Há evidências de que o suco de *Aloe* de boa qualidade pode atenuar os sintomas de AIDS. Isto não é surpresa, já que a droga (polimanoacetato) é produzida pela planta e deve estar presente no suco.

O artigo de Irwin Frank publicado na terça-feira, 12 de julho de 1988, no *Dallas Times Herald*, cita o Dr. Terry Pulse dizendo que 580g (20 onças) do suco de *Aloe vera*, com a droga estabilizada no *Aloe*, foram administradas oralmente a 69 pacientes de Aids (aparentemente, o Dr. Irwin quer dizer suco do *Aloe vera* estabilizado).

De acordo com o artigo, Pulse diz que os pacientes tratados com a droga eram classificados como aqueles que "nunca melhorariam nem se restabeleceriam", mas, seguindo o tratamento, eram capazes de "retornar ao trabalho normal". O artigo citou as palavras de Pulse de que esses pacientes voltam ao seu nível normal de energia, seus sintomas desaparecem quase completamente – e isto em 81% dos pacientes que foram submetidos à droga.

Ele acrescenta que esses pacientes com vírus de Aids que não mostraram nenhum sintoma da doença permaneceram livres do sintoma enquanto tomavam a droga que era derivada da planta de *Aloe vera*.

"Quanto mais cedo um paciente se submete a esta droga, em melhor situação ele ficará", disse Pulse. Ele disse que seus pacientes tomaram 580g (20 onças) do líquido por dia, "e os mantive assim indefinidamente. Mantive alguns deles por mais de dois anos".

"Tivemos mortes", ele diz, "mas nesses pacientes (que morreram), a maioria pode ser atribuída à quimioterapia para cânceres de pele, ou qualquer outro, ou tenham tomado outras drogas em combinação que imobilizaram o seu sistema imune, tais com o AZT".

Quando perguntamos o que seu estudo e tratamento significavam no que concerne a um tratamento ou cura da Aids, Pulse respondeu: "Significa que, até (não) existir um projétil mágico, esta é uma medida provisória e lhes aumenta a sobrevida (os pacientes de Aids) por uma pequena fração do custo do AZT."

Após ler este artigo, obtivemos cópias dos dados reais da pesquisa publicada pelo Dr. Pulse, juntamente com seus colaboradores, H.R. McDaniel e T. Reg Watson, todos do Centro Médico de Dallas-Fort Worth. Esta informação foi avaliada para eliminar os aspectos confusos relativamente ao que exatamente foi usado no estudo, se o produto era o suco de *Aloe vera* ou droga, ou ambos, e em que porcentagens.

"A partir destes dados e de investigação posterior, parece que o suco do *Aloe vera*, em seu estado natural, é igualmente um tratamento efetivo contra a Aids como a droga estabilizada a frio, derivada dele. É óbvio que qualquer paciente de Aids que acredita que *Aloe vera* poderia ajudar sua condição deveria ser muito cuidadoso para comprar somente suco com 100% de *Aloe vera* que realmente, como ressaltamos repetidamente, nem se parece e nem tem gosto de água. O *Aloe* verdadeiro, repetimos, tem cor-de-âmbar e tem um gosto amargo".

Podem imaginar os leitores minha surpresa ante um texto como o que acabo de ler! Com outras palavras, confirmava ou embasava toda a minha prática de anos. Tal artigo despertou grande segurança naquilo que, até então, praticara de forma artesanal, sem uma segurança baseada em experiências alheias, mas apenas levado pela boa vontade de acudir as pessoas em sua angústia...

Casos de pacientes com Aids foram por mim atendidos numa quase casualidade, ou seja, as pessoas envolvidas com o problema recorriam à gente, simplesmente porque haviam sido informadas sobre casos de cura de câncer. "Se curou câncer", raciocinavam, "não poderia ajudar no tratamento de Aids?!" De minha parte, quase se poderia dizer que a recíproca também era verdadeira: "se a babosa curou tumores, por que não poderia ajudar na cura da Aids?" A seguir, alguns casos em que acudiram em busca de meus préstimos.

– Sempre aplicando a receita aqui proposta, acudi um rapaz muçulmano, de vinte anos, procedente de Ramallah, arredores de Jerusalém. Sempre e somente usei a babosa em seu estado natural, colhida da planta e preparada, jamais submetendo-a a processo de estabilização que, aliás, desconhecia. Depois de ingerido o primeiro frasco, já reagiam melhor seu estômago e fígado. Diga-se de passagem que, na primeira visita, o rapaz chega trazido em cadeira de rodas pelos pais e irmão, num estado calamitoso; na segunda, já veio andando em suas próprias pernas. A alegria da família, ao me rever, foi incontida: pediram licença para, aí mesmo, dirigir preces a Alá, cuidando para voltarem os rostos em direção a Meca e inclinando o corpo em largas reverências, segundo o hábito islâmico de orar. Como terá evoluído o caso de Alex? Vive ainda?

— Vincenzo Monreale (Piazza del Popolo, 12 - 90010 - Lascari - Palermo, Itália), depois de três frascos consumidos, foi aceito como enfermeiro para trabalhar, como tal, num hospital de Palermo. Se o vírus não tivesse sido bloqueado, nenhum diretor de hospital, em pleno uso de suas faculdades, poderia contratar um portador do vírus de HIV como enfermeiro, isto é, pessoa que se envolve com doentes, em constante perigo de transmitir a doença. Encontrei Vincenzo em Palermo, em maio de 1995, já trabalhando. Externamente, apresenta-se como rapaz de sua idade. À primeira vista, jamais se poderia imaginar que se tratasse de um aidético.

— Eagle, aidética, de Cágliari, Sardenha, Itália, mantivera contatos telefônicos com Belém e recebia as orientações cabíveis. Depois de três ou quatro frascos, realizou exames em Turim, onde Dr. Maurizio Grandi "virou-a ao avesso", ou seja, examinou a moça por dentro e por fora. Na primeira visita, os valores estavam em 500. Na segunda, subiram para 700. Eagle, é claro, continuava ingerindo a poção. Quando, em meados de junho, visitei a ilha, Eagle se me apresentou, dando-se a conhecer, agora não mais pelo telefone, mas cara a cara. Trata-se de uma linda moça, forte, bem corada. Jamais poderia imaginar que me encontrava diante duma aidética. Afirmou que seus valores alcançaram os 1.000, considerado número tolerável para normal. Meu Deus, como vibrava!... Que vontade de viver! Que alegria pela sua vitória até aqui!...

– Talvez o caso mais retumbante, no que se refere à Aids, seja o da Dra. Cristina Sania, de Cágliari, Sardenha, Itália. Esta médica, de origem grega, ortodoxa, depois de trabalhar nos hospitais onde atua, embarca em sua camioneta e percorre a ilha, à cata de babosa, planta abundante na região, com que trata os dois a três mil aidéticos da ilha; realiza o trabalho como voluntária. Coube a esta médica fazer minha apresentação na palestra mantida no anfiteatro da Prefeitura de Sinnai, arredores de Cágliari. Na ocasião, relatou os "excelentes resultados" obtidos junto a seus pacientes, aplicando a nossa receita. Depois de consumidos três frascos, disse, em geral, os doentes de Aids voltam a circular. Com o estômago no lugar, com mais apetite, com uma cor de pessoa sadia, o fígado recomposto, a pessoa volta a levar vida normal, muitas vezes, até reassumindo as suas atividades integralmente.

– Depois de meu regresso à pátria e, mais precisamente, após a série de entrevistas nos meios locais de comunicação, começando pela entrevista dada à Rádio Guaíba, no dia 02/09/95, sob a competente condução do médico e jornalista Dr. Abraão Winogron, em seu tradicional programa Medicina e Saúde, de larga audiência, tendo o Dr. Sérgio Reutmann como interlocutor, comecei a registrar uma longa lista de telefonemas procedentes, na sua maioria, da grande Porto Alegre, uns vinte, depois de dois meses, onde me colocavam a par do que se passava com eles, portadores de vírus da Aids: melhor disposição geral, mais apetite, energia para caminhar, cor de pessoa dona de boa saúde, etc. Numa palavra, depois de duas a três doses, constatou-se notável melhoramento.

Concluindo este capítulo, gostaria de frisar: ninguém se iluda! **A babosa não cura nem elimina o vírus de HIV.** Apenas impede que se alastre, o que, diante da gravidade do mal, já é muito bom resultado. Já com o câncer a babosa o cura mesmo, renovando todo o arsenal de células comprometidas, numa verdadeira regeneração do sistema imunológico enfraquecido, matéria de capítulo especial neste livrinho. Infelizmente, não acontece o mesmo com Aids, ou seja, Aids, **a babosa não cura**. De qualquer maneira, é uma euforia anunciar que temos uma saída para proporcionar uma melhor qualidade de vida a nossos irmãos aidéticos para o resto dos dias de sobrevida que lhes forem reservados, embora, reconhecemos, o ideal fosse a eliminação pura e simples do vírus. Esperamos que a medicina e as ciências, num trabalho de conjunto, cheguem à cura o quanto antes, uma vez que as previsões são trágicas ou de calamidade pública nos próximos anos, caso a solução demorar...

Como foi visto pelo artigo acima transcrito, a babosa age positivamente sobre o vírus do HIV, não deixando efeitos colaterais negativos, como acontece com o AZT e outras drogas. A babosa está ao alcance de qualquer bolso, mesmo do mais pobre. Pesquisa realizada pela Universidade de Harvard, nos Estados Unidos, em 1993, questionou se os benefícios do AZT na terapia anti-Aids não seriam superados por seus efeitos colaterais, como anemia, náuseas, vômitos e cansaço. Em 1995, outro remédio, chamado Indinavir ou MK-639, foi capaz de reduzir em até 99% a quantidade do vírus presente no organismo e, de quebra, ainda aumentou em até 50 vezes o número de CD-4, um dos tipos de células de defesa do organismo. Como tais drogas são, economicamente, acessíveis somente às camadas mais privilegiadas da sociedade, resta aos mais pobres apelar para a babosa, que responde bem, com duas vantagens: não apresenta efeitos colaterais negativos e encontra-se ao alcance de todos.

O mesmo diga-se do "coquetel de comprimidos" recentemente divulgado pela imprensa falada e escrita. Além dos efeitos colaterais, seu preço é de R$ 1.200,00 ao mês por paciente. A receita da babosa, a pau e corda, chega a uma despesa de R$ 5,00!

> *Enquanto você convive com um distúrbio qualquer e que está tentando eliminá-lo com a babosa, não suspenda o tratamento a não ser quando estiver livre do desconforto. E isso, desde uma simples gripe até Aids. Dê o intervalo, entre um frasco e outro, de três, cinco, sete dias. E já providencie o frasco seguinte. Há muitas pessoas que, na ânsia de se livrarem do problema, nem pausa observam. E conseguem seu objetivo, conseguem! É preciso perseverar no seu intento. Se perseverar, conseguirá.*

11 SOB OS AUSPÍCIOS DE NOSSA SENHORA

Aconteceu, através de mais um dos inúmeros telefonemas recebidos em Belém, Israel, que tomei conhecimento do fato que relatarei abaixo. Incluo-o aqui, a título de curiosidade. Este capítulo apenas pretende imprimir amenidade a esta leitura, um tanto pesada; pouco ou nada acrescentará à matéria.

Chamado ao aparelho, escuto, do outro lado, a voz angustiada de mulher, pedindo socorro em favor de sua filha, mas aos prantos. Tratava-se de Patrizia Zagallia (Via Podgora, 15 - 60022 - Castelfidardo - Ancona, Itália). Trágico o seu caso! Sua filha Micol, 13 anos, depois de três cirurgias no cérebro, fora despedida do Centro Oncológico de Paris "para morrer em casa"! Patrizia insistia que a ajudasse, porque "o Sr. pode fazê-lo".

E referia-se a uma mensagem de Nossa Senhora. Honestamente, eu não só ignorava o conteúdo desta mensagem, mas a própria mensagem. Como verificou que andava mesmo por fora do assunto, ofereceu-se para enviar-me, via fax, a reportagem de jornal de sua terra, no que prontamente concordei. O jornal tem o título de "Corriere Adriatico". A edição é de 31 de janeiro de 1995. A matéria intitula-se: "Desta maneira Nossa Senhora fala com o mundo". Eis o assunto, as manchetes:

"O conhecido comerciante anconetano conheceu Franca Flore(s) durante uma viagem". "É uma mulher com um carisma indescritível, inteiramente dedicada ao próximo". "Assisti com meus olhos a eventos extraordinários". "Um profundo misticismo". "Pedro Milani e a vidente Franca Flore narram as curas operadas pela Virgem". A matéria vem assinada por Eximiliano Petrilli.

Ergueu pessoas paralisadas há anos em cima de cadeira de rodas; invocou a cura, acontecendo esta em seguida, de maneira completa, em pessoas infectas de câncer, às quais os médicos haviam prognosticado poucos dias de vida. Graças à sua intercessão, um rapaz, atingido por uma bala, havia sido lesado, segundo os médicos, de maneira irremediável, no cérebro; saiu do estado de coma e agora se processa a reeducação. São somente alguns dos acontecimentos que Franca Flore, uma senhora milanesa de nascimento, mas que agora vive em Cágliari, atribui-se. Ela afirma dialogar com Nossa Senhora, de quem recebeu ordem de propagar a conversão e o retorno à vida sacramental.

Franca, há anos, é muito conhecida na Sardenha. Com o passar do tempo, os prodígios que acontecem no local de oração, no interior da ilha, ultrapassaram as fronteiras sardas e ela tornou-se ponto de referência para todos quantos se agarram a uma intervenção mística como última tábua de salvação na esperança de cura.

Nestes dias, Franca hospedou-se, na cidade, em casa de um anconetano, Pedro Milani, o qual começara a segui-la, participando nos dias de oração, 10 e 20 de cada mês, no Monte Desulo, uma localidade da Província de Nuoro, nas cercanias do passo Tasensi.

"É uma mulher extraordinária", afirma Pedro Milani, que encontramos no Hotel Viale, junto à senhora Franca; "com um carisma indescritível, que coloca a própria pessoa a serviço dos demais, sem receber nada em troca. Com os meus olhos tenho assistido a inúmeras curas de pessoas que a ciência havia desenganado. Através dela, outras pessoas conseguem ver Nossa Senhora, como aconteceu a um policial escalado para o serviço num dos dias de oração". "Aconteceu também comigo", conta o comerciante anconetano. "Um dia, encontrando-me no carro, telefonei à Senhora Franca. Estávamos para nos cumprimentar, quando, de sopetão, ela ouviu que Nossa Senhora queria falar. Decidira retomar o fio da conversa, quando Franca me deu a entender que a mensagem era dirigida precisamente a mim.

Estacionei numa pracinha e escutei as palavras da Virgem que me exortava a continuar no meu trabalho, ter confiança e continuar a divulgar seus ensinamentos".

Pedro e Franca contam as inúmeras curas realizadas no Monte Desulo. Exibem dezenas de fotos que testemunham a maciça presença de fiéis nos dias de oração, atingindo até mais de 30 mil no dia oito (8) de dezembro do ano passado. O local de oração situa-se nas imediações de pequena fonte, no interior sardo, que Franca alcançou em 1989. "No dia 8 de dezembro daquele ano ouvi, pela primeira vez, a voz de Nossa Senhora", conta; "disse-me que fizesse uma placa que, em seguida, com um quadro, colocaria junto à fonte da água da Bem-aventurada Virgem. Executadas as duas tarefas, parti para a Sardenha. Não conhecia os lugares, mas consegui encontrar a fonte que me fora indicada, seguindo as pegadas que Nossa Senhora traçara. Desde então, cada dia 10 e 20 do mês, dirijo-me à localidade de Desulo para a oração, além das datas de 8 de dezembro e 13 de maio, aniversário de Nossa Senhora de Fátima". "Eu sou correspondente de Maria!", exclama Franca; "por meio de mim, ela se comunica com o mundo. Eu, algumas vezes, sob ditado, escrevo suas mensagens. São admoestações que convidam à paz e à conversão, mas em alguns casos revelam-se profecias de acontecimentos futuros". "Exemplo? Ultimamente, no dia 12 de janeiro", afirma Franca, enquanto lê atentamente uma folha, "a Virgem predisse-me que algumas nações europeias, terça-feira, dia 17, seriam sacudidas pela fúria da natureza. E na França, na Alemanha e na Bélgica, todos vimos o que aconteceu. Nossa Senhora também me revelou o conteúdo do terceiro mistério de Fátima, mas é um assunto muito delicado e envolvente que absolutamente não posso passar adiante. Por meu intermédio, a Virgem realiza inúmeras curas e eu procuro ajudar o maior número possível de pessoas, divulgando também a receita para desbaratar o câncer, receita que me foi confiada pelo Padre Romano Zago, da Ordem dos Frades Menores, guarda da gruta de Belém. O Senhor me escolheu e eu me tenho colocado humildemente a seu serviço".

A atuação de Franca é acompanhada indefectivelmente por um diretor espiritual, de Cágliari, e a Igreja está se interessando por este caso. Pois a ciência não foi capaz de explicar as diferentes curas que aconteceram também nos casos definidos como impossíveis de solucionar à luz das atuais descobertas científicas.

"A receita contra o câncer, revelada pelo Padre Zago":

A receita que a Senhora Franca recebeu do Padre Zago para curar os tumores tem, como elemento-base, as folhas de babosa, uma planta que já vem sendo utilizada na medicina. De suas folhas é extraído um suco aromático muito amargo, segundo as dosagens. "Eu mesma provei pessoalmente a receita", afirma a Senhora Franca, "para averiguar se não seria prejudicial. Dela apenas tenho obtido benefícios". Entretanto, por uma questão de ética para com os nossos leitores, decidimos não publicar a receita na íntegra, porque desejamos, primeiro, submetê-la à atenção dos mais importantes farmacólogos, a fim de obter uma resposta precisa sobre sua eficácia, como também sobre os possíveis efeitos. Para ulteriores informações, telefonar para Pedro Milani (0337 695084).

"Tenho provado a babosa e é eficaz" – "Os parâmetros de meu sangue agora estão normais" – Uma anconetana conta sua experiência após dez dias de tratamento. Conferir *Correio Adriático*, segunda-feira, 6 de fevereiro de 1995, p. 12, sob "Ancona/Falconara", de Maximiliano Petrilli. "Em setembro do ano passado um parâmetro indicador das análises do sangue dizia encontrar-se acima do máximo permitido. Após dez dias de tratamento à base de babosa, os mesmos valores, depois de um mês do controle precedente, entraram em seu estado normal. Experimentei na minha pele a receita do Padre Romano Zago e posso afirmar, com absoluta certeza, que é eficaz. O médico que me trata não queria acreditar nos resultados e, a partir de então, começou a estudar as propriedades medicinais desta planta".

Quem assim fala é uma anconetana (de quem não apresentamos a identidade, a fim de não frustrar uma efetiva pesquisa) que, no mês de outubro passado, deslocou-se até Belém, onde encontrou o Padre Romano Zago, guarda da gruta. A respeito do religioso e do seu tratamento contra o câncer, lera, no outono passado, numa fotocópia que lhe fora entregue em Ímola, por alguns amigos dos quais fora hóspede, após a volta de uma viagem de carro ao santuário de Mejougorie. "Naquelas folhas se falava de uma eficaz receita contra o câncer", recorda a senhora, "preparada por este Padre Romano. Mostrei interesse também porque, um ano antes, eu tinha sido operada no seio e os exames tinham declarado tratar-se de início de tumor nas células contidas no tecido coletado. Os sucessivos exames de sangue sempre apresentavam números que se elevavam, com confirmação ulterior, que alguma coisa continuava a não funcionar em meu organismo. Procurei saber algo mais sobre o Padre Romano, daí que" – continua a senhora – "parti sozinha rumo a Belém. Mal chegando por lá, pedi informações sobre o religioso e não tive a menor dificuldade para encontrá-lo". A senhora entreteve-se em Belém por cinco dias, durante os quais o religioso, pertencente à Ordem dos Frades Menores, confirmou-lhe que a receita contra o câncer, à base de folhas de babosa, existe, criou-a ele [sic.] e procura divulgá-la o mais que pode. "Mostrou-me a planta e as demais que ele utiliza para tratar numerosíssimas doenças; em seguida, permitiu-me que escrevesse a receita e a dosagem para fazer o tratamento. Tomei nota de tudo num caderno e, apenas retornando a

Ancona, preparei o creme à base de babosa, seguindo todas as indicações que o Padre Romano me havia fornecido".

Enquanto fala, a senhora mostra o quadrículo com a receita, o endereço de Padre Romano e seus dois números de telefone. E da geladeira retira um dos cinco frascos em que conserva o creme obtido pela batida das folhas de babosa e os demais ingredientes. Por dez dias seguidos fez o tratamento. "Mal terminei o tratamento, marquei um horário para submeter-me a exames de sangue. Eis os resultados. O Sr. mesmo pode verificar a diferença". A senhora ostenta os papéis dos exames. O parâmetro Alfa, realizado em setembro, antes do tratamento, é de 11,7 (o máximo deveria ser 10), enquanto que o mesmo valor, um mês depois, é de 7,2. Não é surpreendente?!, exclama a senhora. Mas não proclameis que se trata de milagre, porque Padre Romano Zago não é nem santo nem taumaturgo. É um estudioso, cheio de amor, que está procurando fazer o bem ao próximo. É uma pessoa extraordinária e eu lhe serei grata por toda a vida".

Depois de confirmado, em nível científico, que esta planta pode conter efeitos antivirais e antitumorais, chegam logo testemunhas de pessoas que tocaram com as mãos os efeitos benéficos da receita divulgada por Padre Zago e sobre a qual demos notícia há alguns dias no séquito das revelações da vidente Franca Flore. Em nível médico, as experiências sobre os efeitos antivirais e antitumorais da babosa encontram-se em fase inicial. A medicina não efetuou qualquer experiência nem em animais nem em seres humanos, a partir de um produto à base de babosa. No entanto, há pessoas que estão prontas a jurar que elas foram curadas precisamente graças àquela receita...

Em seguida, *a mensagem de Maria Santíssima sobre a eficácia da babosa, na íntegra,* como a colheu Franca Flore dos lábios de Nossa Senhora, no dia 7 de janeiro de 1995. Os leitores leiam e julguem o mérito da questão:

Oh!, sim, é ótimo este medicamento, mas prestai atenção para não acrescentar nada de pessoal nas explicações que dais, e dizei simplesmente: "É um remédio do céu e este bom Padre o transmitiu ao mundo – sejamos-lhe muito agradecidos".

Certamente, acredita, querida, a muitas coisas a babosa faz bem. É uma planta gorda, um pouco espinhenta, certamente não das mais belas do criado, mas contém propriedades maravilhosas, emolientes, purificadoras, suavizantes e, sem o mínimo escrúpulo, podes afirmar, minha querida, que traz um pouco de benefício a todo o organismo, porque o purifica, remove as escórias e muitas coisas nocivas que se comem. Sim, purifica e elimina substâncias tóxicas prejudiciais, e restitui o vigor ao organismo.

Não vos preocupeis; podeis servi-lo, sim, também na dosagem já enunciada pelo Padre Romano. Certamente há pessoas mais delicadas (e delicadíssimas) e estas devem prestar atenção porque não podem aproximar-se de produtos demasiadamente depurativos, uma vez que enfraqueceriam o organismo. Esta é a <u>medida exata para as pessoas muito delicadas</u>: uma colherinha, <u>observai bem</u>, não mais, antes das refeições, porque, se vos excederdes, vos sentireis muito fracos, <u>enquanto que os demais</u> podem servir-se duma dose maior, não, porém, aquela que se toma para o tumor, e, por isso, pode-se dizer que duas colheres por dia são suficiente, no máximo, <u>duas e meia</u>, e esta é uma dose adequada para quem sofre de doenças biliares, doenças estas que requerem depuração do sangue, e sobretudo para quem anda com o fígado inchado ou intoxicado, porque é um poderoso depurativo e, certamente, faz bem porque dissolve também eventuais pequenos cálculos, areia, leva embora, purifica as vias urinárias. Sim, querida, é um depurativo para os rins e isto pode ser ingerido por muitas pessoas tranquilissimamente; se acontecerem também aplicações, digamos assim, secundárias, como a da terapia externa que reduz as calosidades das extremidades dos pés, mas sobretudo, recordai-o, trata-se de um poderoso depurativo do sangue, um regenerador das células e, sem dúvida, ingerido em doses moderadas, é apropriado também para pessoas muito delicadas que adoecem por qualquer coisinha.

Como se pode observar, o jornal assume certas afirmações não de todo exatas. Mas isto fica por conta da redação. Quanto a mim, gostaria de comentar o fato da mensagem de Nossa Senhora, mensagem transmitida a Franca Flore, a vidente.

Estamos cientes que a Igreja sempre reservou largo espaço de tempo para emitir juízo crítico e o veredicto final sobre videntes; a Igreja usou sempre do máximo de prudência. Quem sou eu para me investir dos poderes de juiz. Longe de mim! Não tenho a mínima autoridade para tanto nem me arrogaria tal direito. Prefiro ficar com o registro do fato; nada mais. E saborear a inefável doçura de, um dia, meu nome e sobrenome ter estado na boca da Santíssima Virgem Maria. Torço, realmente, para que seja verdade plena.

Alergia à babosa é raro acontecer. Se você duvidar ou desconfiar, pode submeter-se a teste. Basta cortar uns dois centímetros da folha, com casca e gel, e aplicá-lo ou na axila ou atrás da orelha. Se sentir coceira ou inflamar muito dentro de dois minutos, no máximo, então você é alérgico a babosa, seja à planta natural quanto a produtos industrializados derivados da planta. Repito, é caso muito raro.

12 CONVERSANDO COM A FOLHA DA BABOSA

Esboço para uma prece

Toda vez que sou convidado a preparar um frasco do medicamento de babosa, mel e bebida destilada, achego-me à planta fornecedora da matéria-prima, de preferência, sozinho, humildemente, de mansinho, com o respeito de quem visita uma peça rara ou animal em extinção ou obra de arte no seu original.

Desloco-me até a planta, munido de objeto cortante, não com intenção de feri-la nem considerando-me ente superior ou dono dela; antes, qual ser criado e, como tal, em igualdade de condições, ncessitado mesmo.

Apresento-me à planta como ser limitado e impotente nas minhas atuais circunstâncias, mais que na esperança, na certeza de que ela poderá ajudar na solução do meu enigma. E saúdo-a como a uma pessoa íntima:

– Oi! Eu não venho te fazer mal. Pelo contrário. Sabendo que és tão poderosa, recorro às propriedades que

nosso Criador comum colocou em ti. Preciso delas. Deus criou tudo o que existe, e viu que era bom. Tu foste formada pela essência de Deus, perfeita, bela, harmoniosa. Deus sabiamente colocou substâncias ricas em ti. Eu venho para valorizar estas substâncias. Se eu não as recolher, jamais serão aproveitadas ou canalizadas em sua finalidade. Tu, como todo ser vivo, nasceste, cresceste, mas morrerás, retornando ao pó da terra que te formou. Se eu te recolher, porém, terás desatado todo o feixe de dons que carregas dentro de ti, e ativarás tudo quanto de bom sabes fazer. Deixa-me, pois, colher-te como apanho uma rosa, porque bela, porque se encontra no ponto. Somente conhecerás a maravilha que carregas no teu interior e experimentarás o êxtase da fecundidade, se eu te fizer passar por este momento único, necessário.

É quando tomo a folha na mão com delicadeza, acaricio-a, de alto a baixo, fazendo correr a serrilha de espinhos na palma da minha mão no sentido caule-extremidade da folha, como que dando-lhe a entender que não a considero feroz e agressiva. E continuo:

— Tu vais sofrer um pouco, mas não conheço outra forma para valorizar-te, a fim de que venhas fazer aquilo para o que foste criada. Vem comigo! Escolhi-te porque sei que estás disposta a pôr em prática o que sabes. Julga-te, pois, uma privilegiada. Sim, tuas colegas ficarão para uma próxima necessidade, se houver; caso contrá-

rio, definharão, e sua vida não terá sido útil a não ser porque existiram um dia, como a flor que desabrocha em plena floresta amazônica ou a onda no meio do oceano, mas sem usufruir a chance de desencadear todo o seu potencial. Vem comigo! Decepar-te-ei bem junto ao tronco, como num pique de bisturi, na palha, rompendo o envelope, a fim de que não percas nada de tua essência, do teu suco extraordinariamente medicinal, no aproveitamento todo.

Com um leve toque de lâmina afiada, desprendo a folha do caule em que está enlaçada, sem arrancá-la à força ou rasgá-la ou machucá-la.

Limpa da poeira e aparados os espinhos, vai para o liquidificador, junto com o mel puro e o destilado escolhido. Tudo é triturado pela máquina.

Sobre o copo, enquanto os três elementos são mesclados e moídos, coloco ambas as mãos, à guisa de tampa do copo, a fim de injetar toda a minha energia naquele preparado.

Quando parece pronto, dirijo-lhe minha última palavra, enviando-a para a tarefa que deve executar, empregando a força vital de que é portadora:

— Agora vai e faze o que sabes. Num corpo criado por Deus não pode haver causa nem efeito de doença ou dor,

*discórdia ou desarmonia. Livra este corpo acabrunha-
do, pondo em prática o que sabes fazer. Desencadeia
todo o teu potencial. Eu te amo. Eu te quero bem. Tão verdade é, que te escolhi entre tantas outras tuas semelhantes. Aproveita a oportunidade e cumpre a missão como o
Senhor planejou ao criar-te. Realiza-te agora. É chegado
o teu momento de êxtase. Eu sei que agora, mas sobretudo, no fim, missão cumprida, tenho certeza que me agra-
decerás a chance que te proporcionei, como eu te sou
grato pela ajuda que darás àquele corpo enfermo. Des-
culpa! E obrigado, irmã de criação, pelo serviço a que
foste chamada a prestar, com muita honra. Vai e põe em
prática o que sabes.*

Bendito seja Deus que, com a babosa e tudo o que
existe na natureza, nos prodigalizou tantas possibilidades de tratar nossas doenças! Curados, vivei ale-
gres uma nova vida de gratidão e de louvor. Que nos
seja dado descobrir e usar todos os recursos do mundo para o nosso bem e transcorrer todo o espaço e
tempo de nossa vida numa contínua ação de graças.
Amém.

Porto Alegre, 22/02/1997

RECEITA DE BABOSA CONTRA O CÂNCER

1) Ingredientes

a) **Meio quilo de mel de abelha** (mel puro, natural);

b) **40 a 50ml** (5 a 6 colheres) **de bebida destilada** (cachaça de alambique ou uísque ou conhaque);

c) **Folhas de babosa** (*Aloe arborescens*): duas ou três ou quatro ou cinco ou mais, tantas que, em fila indiana, se aproximem de um metro de comprimento. Se, eventualmente, superassem tal medida, não se preocupe, uma vez que a babosa não é planta tóxica. Não esquecer que a babosa é o mais importante dos elementos, encontrando-se nele o princípio ativo contra o câncer. Nunca há exagero no uso da babosa! Use tanto quanto quiser.

2) Procedimento

Remover os espinhos das bordas das folhas, bem como a poeira que a natureza aí pode depositar, utilizando-se de um pano limpo ou esponja. Picar as folhas, sem remover a casca, jogando-a no liquidificador, junto com o mel e o destilado escolhido. Triturar bem. Pois o preparado... estará pronto para o consumo. Não cozinhar nem filtrar.

Se conservado em geladeira, envolver o frasco em embrulho escuro ou vidro de cor (âmbar). Fora da geladeira não azeda.

3) Posologia (como tomar)

Tomar uma colher, das de sopa, uns 10 a 20 minutos antes do café da manhã, almoço e jantar. Agitar o frasco antes de servir-se do seu conteúdo.

Iniciado o tratamento, ingerir o conteúdo todo do frasco. Se o problema for câncer, terminada a primeira dose, submeter-se a exames médicos. O resultado das análises dirá a atitude cabível. Se não houve cura nem melhoras, é preciso repetir a operação, observando-se curto intervalo (três, cinco ou sete dias). Tal procedimento (de repetir a dose) deve-se tê-lo tantas vezes quantas forem necessárias para eliminar o mal. Somente após os primeiros três a quatro frascos sem o êxito desejado deve-se recorrer a uma dose dupla, ou seja, duas colheres antes das três refeições, já que temos tido casos de pessoas que, mesmo em fase terminal, com um frasco e uma colher antes de comer, conseguiram livrar-se do mal. Mas se você quiser dobrar a dose, não pense que errou, pelo contrário. Deixe o preparado produzir seus efeitos. E vai produzi-los, pode crer.

CONCLUSÃO

Nestas despretensiosas páginas você leu as peripécias da trajetória duma receita, como se fosse um meteoro, receita simples, caseira, econômica, que até câncer tem curado.

Frisou-se que se pode apanhar a babosa no fundo de seu quintal, preferindo-a a produtos industrializados, os quais, submetidos a processo de estabilização, podem ter reduzidas suas propriedades medicinais. Use a babosa de seu quintal, aquela ornamental, na sacada de sua janela, a mesma que o pessoal usa como tônico capilar ou apela às suas folhas quando ocorrem pequenos cortes, queimaduras, em acidentes domésticos. É ela; use-a em suas necessidades. Os produtos industrializados, além de caros, às vezes, graças à ganância de seus fabricantes por reduzirem ou falsificarem a quantidade da matéria-prima, podem ter frustrados seus valores. Empregue as indicações apreendidas na leitura. Os conhecimentos adquiridos são mais do que suficientes para acudir-se em sua circunstância particular.

A ingestão do medicamento não apresenta contraindicações. Argumenta-se contra o uso da babosa, porque não teria havido reação *in vitro*, no laboratório. Temos experiências de reação *in vitro*, realizadas no Brasil e no exterior. Em si, tais experiências não têm muita importância, a não ser para satisfazer curiosidade científica. Aliás, a história da medicina registra vários casos de remédios cuja reação não se registrou *in vitro*, mas tais remédios acabaram comercializados, graças à sua reação *in natura*. Portanto, nem só o que é testado em laboratório é aceito como dogma no campo da medicina; a medicina acaba adotando todas as experiências e fatos, muitas vezes, concluídos por acidente ou casualidade, e passam a fazer parte do patrimônio da humanidade.

Provoca arrepio, p. ex., o fato de nosso medicamento, em alguns casos, poder provocar diarreia. E provoca. E deve provocar. Está dentro do previsto. O fenômeno se explica: as toxinas, depositadas no organismo, encontraram, felizmente, sua via normal de escoamento. Outra via é a urina. A terceira via de excreção é a pele, os poros. A quarta, o vômito. É tudo natural. É a sabedoria do organismo que, bem alimentado, busca sua purificação. Quando ocorre o fenômeno, surge o alarme de pretensos entendidos: diarreia significa perda de potássio!!!

— O que dizer então quando se aplicam radioterapia, quimioterapia, antibióticos, analgésicos, com sua macabra procissão de efeitos colaterais negativos? Em cima de tais tratamentos não se instauram processos contra os danos causados; simplesmente tais tratamentos são aceitos sem qualquer crítica, sem discussão, como se fosse verdade inquestionável!

– Quanto à ocorrência de uma possível diarreia que, normalmente, não passa de um, dois, três dias, raramente mais, reponha a eventual perda de potássio no organismo, comendo uma banana por dia, fruta rica deste metal alcalino, necessário ao organismo. Quanto ao alarme, cuidado! Pode ser safadamente falso...

Ame-se a si mesmo. Zele pela sua saúde. Evite o fumo, o álcool, a droga. Em síntese, o álcool e o fumo danificam o organismo em proporção aritmética, e a droga o destrói na proporção geométrica. Veja, o mundo é lindo e é seu! Lembre-se, porém, há outros semelhantes que vivem nele, com iguais direitos e deveres. Vamos viver bem a vida. Agora. Vamos tornar o mundo mais belo e justo, com possibilidades para todos. Vivemos num país que é um continente; nele encontram-se 75% dos exemplares da flora do planeta. Vamos explorar tudo, estudar com amor. Coloquemos estas riquezas à disposição da humanidade. Nossa extensão territorial poderia abrigar, com folga, ainda toda a atual população da China, e haveria lugar e comida para todos, e sobraria, desde que não houvesse exploração por parte de atravessadores, mas se buscasse uma convivência pacífica, de mútuo respeito, mesmo que fosse apenas pelo fato de tratar-se de seres humanos justapostos.

Na verdade, o homem precisa aprender a amar a si mesmo. Como poderá amar a seu próximo como a si mesmo, se o homem caminha decididamente para a autodestruição, pela droga, pelo fumo, pelo álcool, pelos agrotóxicos, pela poluição, pelas explosões atômicas? Somente depois que aprender o verdadeiro amor a si mesmo é que o homem saberá amar também o seu semelhante. Aí, sim, estaremos próximos da perfeição.

"A melhor maneira de amar aos outros é amar a si mesmo e a melhor maneira de amar a si mesmo é evitar todo e qualquer tipo de droga", frase escrita no muro que protege o G.E. Venezuela, localizado na Travessa Viamão, esquina com a Av. Niterói, Bairro Medianeira, Porto Alegre, RS. Que a frase sirva para mostrar que há mais gente com a cabeça no lugar. A frase sintetiza, com propriedade, nosso pensamento. Que muita gente adote idêntica filosofia de vida, o que redundará em bem para o conjunto de sua saúde.

Se você obteve algum benefício com o uso da babosa, encontra, a seguir, uma folha picoteada. Preencha-a, explicando seu caso e remetendo-a ao endereço indicado. Seu caso poderá ajudar na evolução do problema do seu semelhante.

Segundo estudos recentes, a babosa, quando em flor, tem reduzidas as suas propriedades medicinais, já que dirige toda a sua energia para a flor (fruto). Evite colher as folhas para o preparado na época em que a planta floresce; se houver necessidade de fazer a coleta, opte por uma haste em que não brotou flor neste ano e que, portanto, não terá canalizado sua energia para aquele ponto.

FICHA MÉDICA PESSOAL

(Folha para ser destacada e enviada a: Fr. Romano Zago, OFM - Caixa Postal 2330 - 90001-970 Porto Alegre, RS - Telefax: (051) 246-7177)

Nome: ....
Data de nasc.: ..../............./..........Profissão: ....
Est. civil: ....Telefone: ....
Endereço: ....
Cidade: .... Estado: ....CEP: ....

Diagnóstico inicial: ....Data do diag.: ..../............./...............
Exame histológico: Localização do mal:

Médico que o(a) tratou: Dr. ....
Endereço: ....Telefone: ....

EVOLUÇÃO (TRATAMENTOS)

Cirurgia
Realizada no Hospital ....
Pelo Dr. ....

Radioterapia
Realizada no ....
Pelo Dr. ....

Quimioterapia
Realizada no Hospital ....
Pelo Dr. ....

Hormônios
Realizado no Hospital ....
Pelo Dr. ....

Outros tratamentos médicos:
Onde? ....
Pelo Dr. ....

TERAPIA DA DOR

Cortisona: ....Dose diária: ....

Morfina: ....Dose diária: ....

Data da entrada da babosa:.............../.........../.........

Atual situação (em relação à data do diagnóstico inicial) (há foto-cópia?) ....

....

Peso (diagnóstico inicial): ......kg. Peso atual: ....kg

Número de frascos de babosa ingeridos: ....

Peso após 30 dias: ....kg. Peso após 90 dias: ....kg

Exames realizados em laboratório

Ecografia: ....

Radiografia (RX): ....

Cintiografia óssea (a cada 12 meses):...

Endoscopia (gastroscopia, colonscopia ou em relação ao órgão afetado):

....

....

Exames de sangue: ....

Procedimentos práticos

1) Preparar dossiê para o médico que trata, com a documentação e dados históricos:

2) Experiências pessoais havidas, consideradas importantes: ....

....

3) Dados bibliográficos ou literatura referente à matéria: ....

....

MEDICINA ALTERNATIVA

Câncer Tem Cura
Frei Romano Zago, OFM
208 páginas

A cura que vem dos chás
Carlos Alves Soares
264 páginas

Medicina Simples - Orientações e medicamentos
Germano Schinkoeth Reis
96 páginas

Plantas Medicinais - Do cultivo à terapêutica
Vários autores
248 páginas

As Plantas Medicinais como Alternativa Terapêutica
Carlos Alves Soares
176 páginas

Manual de Nutrientes - Prevenção das doenças através dos alimentos
Eronita de Aquino Costa
240 páginas

Babosa Não é Remédio... Mas cura!
Frei Romano Zago, OFM
128 páginas

Doenças Tratadas com Plantas Medicinais
Lelington Lobo Franco
144 páginas

EDITORA VOZES

Conecte-se conosco:

 facebook.com/editoravozes

 @editoravozes

 @editora_vozes

 youtube.com/editoravozes

 +55 24 2233-9033

www.vozes.com.br

Conheça nossas lojas:

www.livrariavozes.com.br

Belo Horizonte – Brasília – Campinas – Cuiabá – Curitiba
Fortaleza – Juiz de Fora – Petrópolis – Recife – São Paulo

  Vozes de Bolso

EDITORA VOZES LTDA.
Rua Frei Luís, 100 – Centro – Cep 25689-900 – Petrópolis, RJ
Tel.: (24) 2233-9000 – E-mail: vendas@vozes.com.br